Radio France

De notre envoyé spécial

E. A. Macaro

Head of Modern Languages
Kineton School
Warwickshire

Longman

LONGMAN GROUP UK LIMITED
Longman House
Burnt Mill, Harlow, Essex CM20 2JE, England
and Associated Companies throughout the world.

First published 1985
Seventh impression 1992

ISBN 0-582-35400-5

Set in 10/12 Palatino, Linotron 202

Produced by Longman Singapore Publishers Pte Ltd
Printed in Singapore

A cassette accompanies this book:
ISBN 0 582 37684 X

The Publisher's policy is to use paper manufactured
from sustainable forests.

Contents

Preface

The first aim of this book and its accompanying cassette, is to present students of Advanced level with listening and reading texts which are both totally authentic and readily available, daily, in France. The radio extracts have therefore been left in their original form despite the fact that some may prove to be difficult for the average student. Each chapter of the book opens with essential vocabulary and a number of questions to check comprehension of these radio recordings. Teachers will be able to judge for themselves how many times they should allow their students to listen to a particular recording. Indeed they may also decide to read the extracts themselves at a much slower pace. Transcriptions of the radio extracts have therefore been included at the back of the book. It is hoped that this material will encourage students to listen to French radio and to read French newspapers.

The second aim is to help students to find alternative ways of expressing a descriptive or discursive concept in French. It is for this reason that the equivalent newspaper article to the item on the radio has been included and that so much emphasis is placed on exercises which compare and manipulate sentence structure and lexis.

Role play exercises end each chapter wherever possible. The essence of a role play exercise is for students to communicate as best they can certain ideas and information. The English section of the exercise should not, therefore, be translated word for word. As most of the vocabulary needed can be found somewhere in the unit or the transcription, it is suggested that students be given some time to prepare this exercise in advance.

Vacances 1980 – bouchons

Vocabulary

Bison futé *lit* crafty bison, a symbol for motorists to follow to avoid traffic jams;
   for information etc
les sueurs froides cold sweat
un pont long weekend (separate holidays are often 'bridged' by taking off intervening days)
un réseau routier road network
le délestage re-routing
faste *lit* auspicious

Note In France, many workers have either the whole of July or the whole of
August off. So, the beginning of the month sees very heavy traffic on the roads to
holiday areas, especially when this coincides with normal weekend traffic as well.

Answer the following questions in English

1 Why does this year's calendar make holiday traffic particularly difficult?
2 What was the total number of hours of traffic jams last year?
3 What does this represent in terms of fuel wastage?
4 What effect do the prospects have on the transport minister?
5 Why is the situation similar to that of 1975?
6 When exactly were 600 kilometres of traffic jams recorded?
7 What has been done to improve the situation since 1975?
8 What should motorists avoid doing?
9 What two other announcements has the minister made?
10 Is there an English equivalent of '11.500 kilomètres fléchés en vert'?

Vacances 1980 :
Autoroutes plus chères et bouchons records

Les vacanciers du mois d'août ne seront guère gâtés cette année : ils paieront plus cher les autoroutes (+ 8,5 % en moyenne) et les départs risquent d'être catastrophiques. Le début du mois tombant en plein week-end, comme ce fut le cas en 1975 où plus de 600 km de « bouchons » furent décomptés le seul 2 août, les pouvoirs publics ne se montrent guère optimistes. En tout cas, Joël Le Theule, ministre des Transports, a lancé hier un pressant avertissement aux conducteurs :

Evitez à tout prix, a-t-il dit, de partir par la route les 1er , 2 et 3 août, et méfiez-vous fortement des samedi 5 juillet, vendredi 11 juillet et samedi 12 juillet. Malgré les progrès réalisés en matière de régulation du trafic et d'exploitation des routes (835.000 heures perdues en 1979 en raison des bouchons au lieu de deux millions d'heures en 1975, soit deux millions et demi de litres de carburant économisés) le calendrier de cette année est inquiétant. Et il faut se souvenir que la France avait été paralysée sur ses grands axes le 1er août 1975, un vendredi, comme cette année.

Deux nouveautés pour 1980 :
— Une action en profondeur a été exercée par la Direction des routes pour sensibiliser les entreprises et obtenir d'elles un étalement des départs en vacances de leur personnel. Sur 6.795 entreprises importantes, 38 % ont évité de fermer le 31 juillet.

Une vaste campagne d'affichage préventive sera mise en place du 15 juillet au 3 août dans les agglomérations françaises les plus importantes, aux points de départ habituels des vacanciers.

Plus de trois mille grands panneaux répartis dans Paris, la région d'Ile-de-France et les grandes agglomérations de province alerteront les automobilistes sur les jours et les heures à éviter.

L'ensemble de cet effort d'exploitation de la route et d'information coûte cher : 20 millions de francs l'an dernier, dont 4,5 millions pour obtenir un étalement des vacances, 12 millions pour obtenir un meilleur choix des itinéraires, dont près de 8 millions pour le balisage de dix mille kilomètres d'itinéraires « bis » et 3 millions pour l'établissement de 3,5 millions de cartes routières. Le nombre de celles-ci passera à 4 millions cette année.

Enfants énervés

Enfin, 3,5 millions avaient été dépensés en 1979 pour aménager et gérer les points d'accueil et d'information sur le terrain.

C'est seulement à ce prix que peut être évitée la véritable paralysie qu'engendrerait une absence d'information préventive ou immédiate. Il semble que les Français en aient conscience puisqu'un récent sondage Sofres a établi que déjà 40 % des conducteurs tiraient profit des informations données par la Direc-

tion des routes sous l'appellation générale de Bison futé.

Cependant, 53 % d'automobilistes continuent de fixer leur départ « au moment le plus pratique pour eux » sans se soucier des embouteillages prévisibles. Résultat : 33 % des personnes parties en vacances par la route l'an dernier ont rencontré des bouchons provoquant un retard supérieur à une demi-heure et 67 % des familles ont classé « l'énervement des enfants » en tête des conséquences dommageables des embouteillages.

Mais tous ces efforts risquent de paraître bien « minces » aux automobilistes. Joël Le Theule, le ministre des Transports, annonçait dans le même temps une hausse importante des péages autoroutiers dès le 21 juin. Ceux-ci augmenteront en moyenne de 8,5 %. Plus malheureusement pour l'autoroute du Soleil : 10 %. La plus fréquentée lors des grands départs.

Maurice CAZAUX.

Vocabulary

les grands axes major routes
un étalement spreading out, staggering
le balisage signposting

In other words

Find phrases in the article which have a similar meaning:

une augmentation du tarif des péages
coïncidant avec les weekends
il faut absolument éviter de circuler
nous avons amélioré le réseau routier
échelonner les départs en vacances
donner des conseils
les conducteurs ont bénéficié des informations

In your own words

1 Pourquoi le calendrier de cette année est-il inquiétant?
2 De quelle façon peut-on économiser en évitant les embouteillages?
3 Quelle initiative peuvent prendre les entreprises pour résoudre le problème?
4 Comment les automobilistes seront-ils alertés sur les dates à éviter?
5 Selon le sondage 'Sofres' quelle a été la réaction des Français à l'information préventive en 1979?

Reporting

Imagine that you are preparing a broadcast for motorists. Include the following points:

problème:

bouchons records
20 kilomètres d'embouteillages
augmentation du trafic
départs en vacances (coïncidant avec weekends)

solution:

route nationale 3 délestée
panneaux indicateurs
étaler/échelonner les départs
choisir un nouvel itinéraire
points d'accueil et d'information
dates et heures à éviter
amélioration du réseau routier
routes fléchées en vert.

Campings surchargés en France

Vocabulary

les gérants de terrains de camping campsite managers/wardens
le littoral the coast
l'arrière-pays inland

Answer the following questions in English

1 What is the current trend with regard to holidays?
2 What are the statistics for this year?
3 What measures has the 'préfet' taken to alleviate the problem?
4 How will this affect prices and comfort?
5 What further assistance is being provided by the local authorities?
6 What is there little chance of finding?
7 What are the alternatives and their attractions?

---

8 août

TOURISME

Des campeurs dans le désordre

- PARIS :
les « résidents » du bois
de Boulogne

On s'y bouscule, on s'y entasse, tous s'arrachent une place : l'entrée du camping du bois de Boulogne à Paris ressemble, au début de ce mois d'août, au poste de douane du Perthus aux plus belles heures des grandes migrations. Venus de tous les coins d'Europe, souvent même des antipodes, à pied, en vélo, en auto, en avion, les candidats au camping se pressent fébrilement devant les bureaux d'accueil.

Ils commencent alors une longue attente qui peut durer jusqu'à deux heures et demie. Au camping international du bois de Boulogne, allée du bord de l'eau, dans le seizième arrondissement, géré par le Touring Club de France, on ne réserve pas son emplacement. Il suffit de se présenter à l'entrée du camp et, si une place se libère, on vous l'attribue. C'est ce qui explique ces longues files de voitures qui se forment aux grilles du camp pour déborder chaque jour d'été sur la route voisine, créant ainsi de drôles d'embouteillages.

Après une période très calme en juillet, le camp retrouve enfin son traditionnel engouement. Chaque nuit, il affiche complet : sur les 8 hectares du terrain, sur les huit cents emplacements, il n'y a plus de quoi planter la moindre « sardine ». Environ trois mille cinq cents personnes y ont trouvé refuge depuis le début août.

Le succès de ce terrain, où l'herbe a pourtant disparu depuis plusieurs années, où le vent balaie sans cesse la terre battue, soulevant sans répit la poussière, s'explique facilement.

Tout d'abord, il a un monopole. C'est le seul terrain de Paris *intra-muros*. On dénombre bien d'autres camps autour de Paris, à Versailles, Maisons-Laffitte, au Tremblay, mais aucun d'eux ne peut rivaliser avec la situation exceptionnelle de celui du bois de Boulogne, situé à dix minutes de l'Etoile.

Le camp offre, d'autre part, des services de très bonne qualité : cent vingt emplacements équipés d'installations électriques, eau courante et évacuation des eaux usées, plusieurs blocs sanitaires modernes et vastes, où les touristes ne font pratiquement jamais la queue, un snack, des commerces et une navette qui les emmène jusqu'au métro.

Enfin, les prix n'ont pas subi la fièvre que d'autres ont connue du côté du littoral. Une famille de trois personnes, avec une voiture, une tente, et qui décide de rester une semaine à Paris, s'en tirera pour moins de 150 francs. Le même séjour dans un hôtel deux étoiles lui aurait coûté au moins 750 francs...

Un pouvoir de s é d u c t i o n, voilà la clé d'un succès qui ne se dément pas. Si les Français n'y viennent pas très nombreux, les étrangers sont légion. Au mois de juillet de l'année dernière — et tout montre que ces chiffres seront sensiblement les mêmes cette année, — ce sont les Néer-landais qui sont venus les plus nombreux : 6 700 campeurs pour 16 000 nuitées. Ils sont suivis par les Britanniques (6 100), les Allemands de l'Ouest (6 000), les Scandinaves (11 000), les Italiens et les Espagnols.

Depuis un an ou deux, une nouvelle clientèle est apparue : les Australiens et les Néo-Zélandais, qui étaient 2 000 l'an passé au mois de juillet. Débarqués par avion à Londres ou Amsterdam, bénéficiant d'un système de vacances « longue durée » (environ six mois tous les trois ans), ils louent ou achètent des camping-cars dans le pays d'arrivée et visitent l'Europe en passant par les capitales, et les campings.

Les Britanniques sont apparemment les plus férus de camping à Paris. Ils y passent un minimum de quatre nuits. Mais la moyenne des séjours tourne autour de trois nuits. Tous les trois jours, le camp renouvelle donc sa « population ». Si les caravanes ou les camping-cars sont quelquefois orientés vers des camps situés à la périphérie, les gérants du terrain s'arrangent toujours pour accueillir les « piétons ». Ainsi, tout le long de la Seine s'alignent une multitude de petites canadiennes, et chacun s'accorde à penser que l'essentiel est de dormir au camp, la journée étant consacrée au tourisme dans Paris.

Le camp du bois de Boulogne, à vocation internationale, n'a pas d'autre prétention. Le système d'accueil permet à chacun de tenter sa chance et répond assez bien à la demande. Que représentent deux ou trois heures de queue pour le plaisir de découvrir finalement, dans de bonnes conditions, les joies de la capitale ?

OLIVIER SCHMITT.

Vocabulary

Perthus proper name of a town on the border with Spain
engouement choked (with people)
intra-muros within the city walls
l'Etoile *ie* la Place de l'Etoile, right in the centre of Paris
une navette shuttle service
ils sont légion in great numbers
une canadienne small tent

In other words

Find phrases in the article which have a similar meaning:

ceux qui cherchent une place pour installer leur tente
on vous assigne une place
les tarifs n'ont pas augmenté de la même façon
les plus enthousiastes de camping

In your own words

1 Comment le camping du bois de Boulogne est-il géré?
2 Quelle est la période pendant laquelle le camping est au plus haut de son activité?
3 Expliquez le succès de ce terrain de camping.
4 Pourquoi refuse-t-on parfois d'accueillir les caravanes?

Savoir-faire

If you are finding it difficult to say something in French, try using the noun instead of the verb and vice-versa.

First, find the noun or the verb for the following:

Noun	Verb
gérant	
	diminuer
renseignements	
	prédire
engouement	
situation	
	louer

Now translate the following sentences:

1 Campsites are run by very experienced people.
2 The measures taken by the préfet will not bring about lower prices.
3 If you phone the following numbers, you will be informed of the least crowded campsites.
4 The forecast for the next three years is good.
5 In August the campsite is crammed with foreigners.
6 It is situated 10 kilometers from the coast.
7 Nearby there is a bicycle hire shop.

Role play

At the entrance to the Bois de Boulogne campsite:

REPORTER: M./Mlle, je suis en train de faire une enquête sur ce camping qui est peut-être le plus célèbre de la région parisienne. Voulez-vous répondre à quelques questions?

VOUS: *Say you'd be glad to, as it looks as though you're going to be in the queue for at least another hour and a half.*

REPORTER: Vous venez d'où et comment?

VOUS: *Say which town you are from and that you've come by train. You've just walked from l'Etoile, but that's not too far.*

REPORTER: Et pourquoi avez-vous choisi ce terrain?

VOUS: *Say it is because it is so close to the centre of Paris. Also, you've heard that the facilities are good. There's a shuttle service between the campsite and the metro, and, with luck, you'll be able to pitch your tent on the banks of the Seine.*

REPORTER: Et vous n'avez pas réservé votre emplacement?

VOUS: *Say that you can't, that you just turn up at the site and when there is a place free you are given it.*

REPORTER: Et vous comptez rester pour combien de nuits?

VOUS: *Say for about four nights.*

REPORTER: Vous ne trouvez pas que ce camping est surchargé?

VOUS: *Say perhaps, but the most important thing is being able to sleep somewhere cheap. In any case you will spend most of the day seeing the sights in Paris.*

REPORTER: Merci M./Mlle, et bon séjour.

Le pape à Paris

Vocabulary

une escale landing
le protocole pontifical papal etiquette
un badaud stroller, onlooker
une fourrière police car pound
la palme revient à the prize must go to
Le Flore, La Brasserie Lipp, Les Deux Magots the names of famous Parisian cafés
le parvis square in front of cathedral
les ouailles flock/parishioners
dais canopy
la vedette motor boat

Answer the following questions in English

1 According to the newspaper 'La Croix', what do the majority of French people feel about the pope? What is the percentage given?
2 How long will it take the pope's plane to arrive from Rome?
3 Why will there be no official ceremony at Orly airport?

4 What two things have the crowds in the Champs Elysées brought with them?
5 What is being sold on the pavements?
6 Is there a lot of traffic? Why?

7 Describe how the pope and the president are going to meet up.
8 Why are there few people in the Boulevard Saint-Germain?
9 What cleaning up operations have gone on since this morning?
10 Why are the terraces of certain cafés closed?

11 Why isn't the ceremony outside Notre Dame open to all?
12 Who, apart from the president, has received an invitation?
13 Describe the podium which has been erected.
14 Why has the Notre Dame organ caused a problem?
15 What has been done to remedy this?
16 What will happen at the Hôtel de Ville?

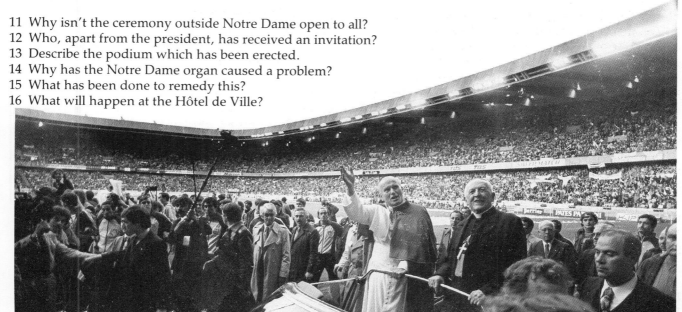

à l'heure du Vatican

Le programme complet d'aujourd'hui

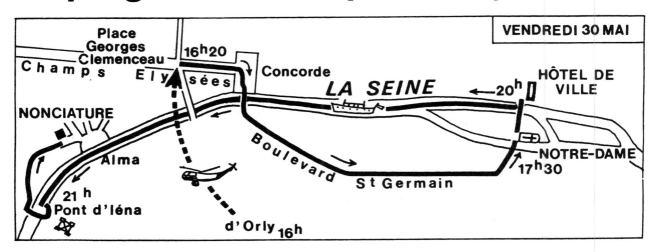

VENDREDI 30 MAI

Place Georges Clemenceau — Champs Elysées — 16h20 — Concorde — LA SEINE — 20h — HÔTEL DE VILLE — NONCIATURE — Alma — Boulevard St Germain — NOTRE-DAME — 17h30 — 21 h Pont d'Iéna — d'Orly 16h

① 16 H 20-17 HEURES. *L'arrivée place Georges-Clemenceau* et l'accueil du président de la République. Après avoir passé les troupes en revue, Jean-Paul II et Valéry Giscard d'Estaing descendent *à pied* vers la Concorde où sont prononcées les allocutions de bienvenue.

② 17 HEURES-17 H 30. Le chemin vers *Notre-Dame* : pont de la Concorde, boulevard Saint-Germain, rue Dante, rue du Fouarre.

③ 17 H 30-18 H 45. *Te Deum* et *messe*. La messe, qui devrait débuter à 18 heures, se tiendra sur le parvis de Notre-Dame où seules seront accueillies les personnes munies de cartes spéciales.

④ 19 HEURES-19 H 30. Le Pape se rend à la place de l'*Hôtel-de-Ville*, où un podium a été dressé, par la rue et le pont d'Arcole. Il est accueilli par Jacques Chirac et le conseil municipal de Paris. L'accès à la place est libre.

⑤ A PARTIR DE 19 H 30. *Descente de la Seine* jusqu'à la nonciature. Le Pape s'embarque sur la vedette Sainte-Geneviève par la passerelle d'accès au square Georges-Pompi-

dou. L'accès des berges est interdit par mesure de sécurité mais les quais sont libres. Le bateau accoste au pont de La Bourdonnais. La voiture de Jean-Paul II, escortée par des scouts tenant des flambeaux, passe par le pont d'Iéna, la place de Varsovie, l'avenue des Nations-Unies, l'avenue d'Iéna, la place d'Iéna et l'avenue du Président-Wilson où se trouve la nonciature.

Est-il nécessaire de préciser que circuler et se garer dans le centre de Paris va être pratiquement impossible. Il est donc très fortement recommandé de prendre les transports en commun et notamment le métro. La préfecture de police informe cependant les irréductibles du volant que la circulation sera maintenue – dans la mesure du possible – sur les voies suivantes : voie Georges-Pompidou, bd Saint-Michel, bd du Palais, place du Châtelet, bd de Sébastopol, quais rive gauche à partir du bd Saint-Michel, quai Saint-Bernard jusqu'au pont Sully, rue des Fossés-Saint-Bernard, rue Saint-Honoré et berges rive gauche jusqu'à 19 h 30.

Toutes les autres voies d'accès à la rive droite, aux Champs-Elysées, à Saint-Germain, à l'Hôtel de Ville et à l'île de la Cité seront interdites totalement ou quelques heures dans la journée.

Côté stationnement, l'interdiction sera totale, à partir de 6 h 30 et jusqu'à 18 heures dans un vaste périmètre englobant les Champs-Elysées, le bd Saint-Germain, l'île de la Cité.

Vocabulary

la nonciature home of the nuncio (papal envoy)
les irréductibles du volant those who have to drive

In other words

When you have read the pope's programme, find phrases in the transcription of the radio broadcast (page 51) which have a similar meaning:

le pape se rendra en hélicoptère
les allocutions de bienvenue
côté circulation, l'interdiction sera totale
la cérémonie se tiendra
seules les personnes munies de cartes spéciales seront accueillies
tout est presque prêt
il est très fortement recommandé

Savoir-faire

Create sentences by linking these phrases together. Remember to use the perfect tense.

emprunter un trajet	la cathédrale
se rendre à	en voiture
se diriger vers	il était muni d'une carte
remonter une rivière	sur un bateau-mouche
descendre un boulevard	à pied
gagner un endroit	en hélicoptère
accéder au parvis	plutôt qu'un autre

Role play

You are in the Boulevard Saint-Germain watching the pope's procession when a reporter from France-Inter comes up and asks you questions:

REPORTER: Il est 14 heures maintenant, vous êtes là depuis longtemps?
VOUS: Say that you've been waiting since about midday but you have a folding chair and sandwiches with you.
REPORTER: Et pourquoi êtes-vous venu(e) voir le pape?
VOUS: Say that it's because he seems nice and you wanted to see the procession, all the flags and all the people. You like the atmosphere. It's very exciting.
REPORTER: Qu'est-ce que vous avez acheté?
VOUS: Say that you've just bought an ice-cream and two flags.
REPORTER: Il y a encore peu de monde ici, n'est-ce pas?
VOUS: Say yes, but the pope won't be going past until 5.30 and in any case people are beginning to arrive in great numbers.
REPORTER: Vous n'êtes pas Français(e), n'est-ce pas?
VOUS: Say no, you're English and on holiday in Paris.
REPORTER: Mais vous parlez bien le français!
VOUS: Say thank you.
REPORTER: Merci à vous. Au revoir.

Vol de bijoux à Cannes

Vocabulary

casse burglary, break in
enfoncer to knock in, *here* to completely outclass
fric-frac burglary
menue monnaie pocket money/trifling sums
en espèces in cash

indice evidence/clues
garder à vue to hold in custody
outre mesure unduly
au point mort at a dead end

Answer the following questions in English

1 How is the burglary described?
2 In what way is this burglary greater than the one perpetrated by Albert Spaggiari?
3 How much was taken in cash?
4 Why are the police perplexed?
5 Where did the police make their first enquiries?
6 Who was first suspected?
7 How have the people of Cannes reacted to the news of the burglary?
8 Why did the reporter go to the villa?
9 What was the outcome of the visit?
10 What was the prince's attitude to the burglary?

---

26 juillet

A Cannes, 80 millions de francs en bijoux et devises disparaissent

Fabuleux fric-frac chez l'émir

L'audace des cambrioleurs n'a plus de limites à Cannes. Après le butin de 12 millions de francs volés dans un palace de cette ville le 8 avril dernier et les 10 millions emportés jeudi par trois malfaiteurs armés, l'opération menée dans la villa d'un émir sur les hauteurs de la ville a rapporté jeudi soir à son ou ses auteurs la bagatelle d'au moins 8 milliards de centimes.

Les malfaiteurs se sont cette fois attaqués à la demeure du fils de l'ancien émir du Qatar, le cheik Abdel Aziz Ahmed Al Thani. En un tour de main, ils ont fait une consciencieuse razzia sur un lot de bijoux et d'argent liquide dont le montant avoisinerait, selon les déclarations du cheik, les 80 millions de francs actuels.

Les policiers niçois restent perplexes devant l'audace de ces hommes particulièrement discrets qui se seraient introduits à l'intérieur de la fastueuse villa de trois étages par un simple vasistas resté ouvert. Cette hypothèse, si elle se vérifie, suppose de la part de ces « Arsène Lupin » une préparation minutieuse et une connaissance parfaite des lieux. Car, située dans une pinède, cette demeure de maître, qui domine la baie des Anges et le massif de l'Estérel, est un véritable petit fort Knox. Les systèmes d'ouverture et des cellules électroniques, de multiples parlophones et même des meurtrières la protègent des intrus.

C'est dans ce cadre que le potentat vit une grande partie de l'année en compagnie de ses quatre épouses, de sa suite et d'une vingtaine de domestiques. Hier, à l'heure de la prière, alors que le personnel se restaurait dans les jardins de la villa, le prince Al Thani et l'une de ses épouses sont descendus de leur chambre, au deuxième étage, afin de prendre leur repas. Respectueux des règles du Ramadan, le couple ne pouvait s'alimenter avant la tombée de la nuit. C'est pendant ce repas qu'a eu lieu le forfait.

Toutefois les policiers chargés de l'enquête de ce véritable cambriolage du siècle dont le butin est pratiquement le double de celui raflé par Spaggiari il y a trois ans à la Société générale de Nice n'écartent pas tout à fait une autre hypothèse : celle de l'acte d'un familier ou d'un membre du nombreux entourage du maître des lieux, par exemple. Cela devait conduire les enquêteurs à garder, hier soir, en garde à vue un membre du personnel.

Daniel CURZY.

Vocabulary

en un tour de main in one fell swoop
une razzia raid
fastueux luxury
un vasistas fanlight

'Arsène Lupin' a famous burglar (fictional film character)
une demeure de maître imposing residence
une meurtrière loop-hole (narrow slit in wall)
rafler to snatch

In your own words

1 Quels autres casses ont eu lieu à Cannes récemment?
2 Décrivez la situation de la villa.
3 Comment la villa est-elle protégée des cambrioleurs?
4 Quelles personnes habitent la villa avec le prince?
5 Le prince et son personnel, que faisaient-ils pendant qu'on volait l'argent?

Reporting

You are a reporter sent to interview the emir. Make up the questions you are
going to ask him. Before setting out, you have made the following notes:

l'heure du casse
découvert par qui?
Emir était où?
montant d'argent et bijoux?
assuré?
sa réaction
personnel/entourage   loyal? honnête?

Now imagine his replies

Having done this, now write your report based on the information below:

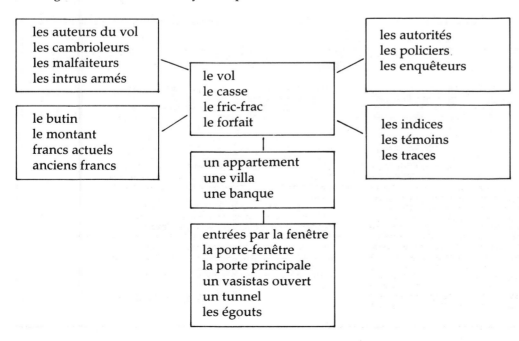

les auteurs du vol
les cambrioleurs
les malfaiteurs
les intrus armés

le butin
le montant
francs actuels
anciens francs

le vol
le casse
le fric-frac
le forfait

un appartement
une villa
une banque

entrées par la fenêtre
la porte-fenêtre
la porte principale
un vasistas ouvert
un tunnel
les égouts

les autorités
les policiers
les enquêteurs

les indices
les témoins
les traces

l'action des autorités
s'orienter vers
poursuivre
garder à vue
entendre quelqu'un
faire une enquête
interroger

L'extrême droite dans la capitale

Vocabulary

revendiquer to claim responsibility for
garder à vue to hold in custody
tremper dans to have a hand in
des croix gammées swastikas
montrer la ficelle underhand work showing through
plastiqué blown-up with plastic explosives

Answer the following questions in English

1 When and where did the police operation take place?
2 What sort of a movement is FANE?
3 What is Daniel Hechter's profession?
4 Why do you think the attack was made on him?
5 What is meant by 'les nostalgiques du Nazisme'?
6 Give three examples of right-wing extremist activity in the area.
7 What physical acts of violence have been perpetrated by these youths?
8 Describe these young people.
9 What is still in doubt about the eleven militants? What do the police think?
10 What is the MRAP demanding?

31 juillet

Rafle à l'extrême droite

Onze militants d'extrême-droite ont été interpellés hier matin à l'aube dans le cadre des enquêtes menées sur les attentats commis récemment à Paris notamment le 25 juin dernier contre le siège du M.R.A.P. (mouvement contre le racisme et pour l'amitié des peuples) et le magasin du couturier Daniel Hechter, rue de Passy, dans le 16e arrondissement : un pain de plastic déposé dans l'encoignure de la porte a causé, dans la nuit de lundi à mardi, d'importants dégâts matériels.

Marc Fredriksen, 44 ans, responsable de la FANE (Fédération d'action nationale et européenne) et Jean-Gilles Malliarakis, président du MNER (Mouvement national révolutionnaire, issu du Groupement national révolutionnaire dont le chef François Duprat périt en mars 1978 dans une voiture piégée) devront donc fournir des précisions sur leur emploi du temps.

Pour l'instant, un seul de ces actes terroristes a été clairement revendiqué dans son journal par la FANE : celui perpétué contre le siège parisien de l'AEROFLOT, avenue des Champs-Elysées le 28 février dernier. Pour les autres attentats, les seuls indices relevés contre la FANE, outre les communiqués de revendication envoyés à l'A.F.P., demeurent des fanions et autres emblèmes du groupe retrouvés sur les lieux : le 17 juin, après l'expédi-

EXTRÊME DROITE

tion punitive contre la communauté juive et arabe du Marais, et toujours le même jour, lors du saccage de l'exposition du groupe catholique « Justice et Paix » sur le Nicaragua.

Des indices paraissent toutefois un peu « voyants » aux enquêteurs : dans le magasin du couturier Hechter, c'est en effet une véritable panoplie du militant d'extrême-droite qu'ont retrouvé les policiers : drapeau noir et rouge au sigle du GNR, écussons arborant la roue fléchée de la FANE... Or, il y a trois semaines,

les bureaux de la FANE étaient cambriolés. Butin : en majorité des fanions et emblèmes...

La fouille des appartements des onze militants n'a guère donné de résultats : tout au plus a-t-on trouvé quelques armes de collection chez Jean-Gilles Malliarakis.

La FANE est un mouvement déclaré. Elle a pignon sur rue : un immeuble au 28 de la rue Jean-Moignon et un journal : « L'Europe », dans lequel cette association née en 1966 de la fusion de deux branches dissiden-

tes du mouvement Occident « Action Occident » et « les cercles Charlemagne », expose son idéologie raciste. Déjà poursuivi par le parquet de Paris pour « Apologie de crimes de guerre et incitation à la haine raciale », Marc Frédriksen comparaîtra dans deux jours au palais de justice de Paris.

Les auditions en cours des onze personnes interpellées, placées en garde à vue, décideront de leur inculpation.

---

27 juin

Rue des Rosiers : sept loubards passent à tabac et blessent grièvement un israélite invalide

La colère des juifs de Paris

Expédition punitive de type raciste ou agression perpétrée par des loubards ? Sept hommes se sont acharnés dans la nuit de jeudi à vendredi contre un jeune infirme juif de 26 ans. Alors que ce dernier lutte toujours contre la mort, c'est toute la rue des Rosiers et toute la communauté israëlite du quartier du Marais, à Paris, qui est en ébullition. Et l'émotion est vive.

Rassemblés dans cette rue reconnaissable entre toutes par l'odeur sucrée, miel et cannelle, qui y flotte en permanence, les habitants du quartier ont défilé devant le « Big Kif ». Là où, durant la nuit, vers 3 heures, André Zeitoun, Abraham pour les siens, fut agressé par sept voyous. Non pas lors d'une rixe ou d'un quelconque règlement de comptes mais au cours d'un sordide guetapens : sept hommes taillés en colosses, de surcroît armés jusqu'aux dents contre un jeune infirme de 26 ans dont le seul tort fut de vouloir empêcher le passage à tabac d'un pauvre hère.

Le « Big Kif » est un café, une sorte de forum bon enfant.

Seul établissement ouvert tard dans la nuit, on y joue au trictrac, au bonneteau et on y discute. Des nuits entières. Et le plus souvent autour de celui que, rue des Rosiers, on appelle le « rabbin ». Un visage émacié, portant la tsitsit, coiffé de la kippah, la démarche rendue hésitante à la suite d'un grave accident, André Zeitoun est un des personnages les plus marquants du Marais. Un sage et un poète. Un homme profondément attaché à sa foi en tout cas. Cette apparence sans ambiguïté possible, cette sorte « d'aura » qu'il a, et cela en dehors des murs de Saint-Paul, l'ont-ils désigné comme cible des fanatiques ?

S'agit-il, comme le pensent les policiers, d'une virée de « loubards » ? Difficile d'apporter une réponse précise. Restent les faits.

Il est 3 heures du matin et, vacances obligent, la rue des Rosiers généralement animée jusque tard dans la nuit est déserte. Dans le café, six jeunes écoutent André Zeitoun lire ses derniers poèmes. Sur le parvis, Mamoud, un Africain que l'ivresse rend loquace parle tout seul. Des freins qui crissent brutalement rompent alors l'atmosphère paisible. De deux voitures, des hommes sortent en trombe. Silencieux, bousculé, l'ivrogne prend peur, il crie. Alerté, la petite bande d'amis sort du café et comme il en a l'habitude, André Zeitoun appelle à la paix. Il tente de calmer les agresseurs puis de s'interposer. Fous de rage devant ce gringalet qui ose les braver, les voyous se déchaînent : coups de machettes, de tournevis, puis de couteau, ils

ne s'arrêteront pas avant de voir leur victime inanimée et ensanglantée. Alors seulement sonnera l'heure de la débandade et le départ sur les chapeaux de roues. Hébétés par ce qu'ils viennent de voir, les consommateurs sont restés figés. L'un d'entre eux a pourtant eu la présence d'esprit de relever le numéro de la voiture. Une patrouille retrouvera quelques minutes plus tard les bourreaux d'André... alors qu'ils se lavent les mains dans la fontaine de la Concorde. A l'exception de Michel Jacquel, cuisinier, ils sont tous coursiers. Leur seule explication : après une tournée dans les bars du quartier, ils « ne savaient plus ce qu'ils faisaient ».

Reste qu'André Zeitoun était hier soir à l'hôpital de la Pitié entre la vie et la mort.

Armelle OGER.

Vocabulary

un loubard thug
passer à tabac to beat up, to work over
le tric-trac backgammon
le bonneteau three-card trick
entrer en trombe burst in
un gringalet puny fellow
départ sur les chapeaux de roues rush off (*lit* with hub-caps scraping ground)
un coursier office messenger

In other words

Find phrases in the articles on the previous two pages which have a similar meaning:

un attentat a eu lieu
l'immeuble ou le MRAP est situé
au petit jour
des militants ont été interrogés
la ficelle est trop grosse
un modiste
toute une collection

In your own words

1 Pourquoi les gens du quartier du Marais sont-ils si révoltés?
2 Décrivez le café 'Le Big Kif'.
3 Pourquoi André Zeitoun est-il un personnage si bien connu?
4 Pourquoi l'agression perpétrée contre André Zeitoun est-elle si injuste?

Reporting

Write a report piecing together the various events outlined in this unit. Use the perfect and imperfect tenses. Here are the main points again:

26 juin	le MRAP plastiqué
30 juin	attentat contre la boutique de Daniel Hechter
1er juillet	onze militants interpellés au Quai des Orfèvres
31 juillet	André Zeitoun passé à tabac, rue des Rosiers

6

Exposition universelle en l'an 2000

Answer the following questions in English

1 Where will the exhibition take place?
2 Who announced the project?
3 What is his main aim?
4 What will have to be done beforehand?
5 Give details of these.
6 What inequalities are prevalent in the region?
7 What are the three stages for this project and what are the target dates?
8 Give English translations for the following:

   a. définir un objectif   c. des transports en communs en constant déficit
   b. d'ici à la fin du siècle   d. des inégalités un peu trop criantes

L'exposition de l'an 2000 : redonner vie à l'est de la capitale

« L'ambition que je vous propose, a dit le président de la République aux représentants des assemblées régionales, est de faire de l'Ile-de-France, pour la fin du siècle, la grande métropole économique, culturelle et politique de l'Europe de l'Ouest et de l'ensemble vertical méditerranéo-africain. »

Pour ce programme ambitieux, Valéry Giscard d'Estaing a fixé trois dates : 1985, achèvement de la partie est de l'autoroute A 86, cette rocade qui double le boulevard périphérique de Paris à dix kilomètres de la capitale et son raccordement à l'autoroute du Nord et à l'autoroute du Sud.

1990 : achèvement des infrastructures et de l'aménagement des villes nouvelles pour les amener, à cette date, à devenir adultes, c'est-à-dire à entrer dans le 2droit commun.

An 2000 : organisation d'une exposition universelle en région parisienne (il n'y en a pas eu en France depuis 1937). Elle sera implantée au nord et à l'est de l'Ile-de-France, dans un triangle Roissy-Le Bourget-Marne-la-Val-

lée, ce qui permettra une modernisation des infrastructures et de l'équipement de cette zone.

De grandes ambitions donc à long terme.

Pour un avenir plus proche, le président a signalé trois points noirs que le schéma directeur devra corriger.

– La contradiction entre le mouvement de concentration des emplois dans le centre de l'agglomération et le phénomène de dispersion des logements dans la grande périphérie. 180 emplois pour 100 actifs à Paris et 60 emplois pour 100 actifs en grande couronne. Cela explique l'accroissement du nombre et de la durée des trajets quotidiens. Le président estime que la solution ne passe plus par de nouveaux allongements des réseaux de transports mais par un effort pour rapprocher l'habitat de l'emploi. Il a également préconisé la lutte contre la dépopulation de Paris (30.000 habitants par an quittent la capitale pendant que la grande banlieue en gagne 120.000). Il faut, selon lui, assurer un meilleur équilibre entre Paris et la banlieue.

– Deuxième déséquilibre : le déficit financier croissant des tranports en commun. Ce déficit, a annoncé M. Giscard d'Estaing, ne sera maîtrisé que par une clarification des responsabilités ainsi que le gouvernement l'a proposé. Cela signifie en clair le transfert progressif de l'ensemble des charges d'exploitation de la R.A.T.P. et de la S.N.C.F. à la région et aux collectivités départementales. Ce qui se traduira nécessairement pour l'usager par une augmentation substantielle des tarifs à plus ou moins longue échéance.

Troisième déséquilibre : les inégalités de cadre de vie entre les quartiers prospères et les banlieues pauvres. Le président a demandé le concours des assemblées régionales pour engager une politique des banlieues.

« Dans un pays démocratique, a-t-il précisé, la vraie grandeur d'une métropole se mesure non pas au niveau de vie des plus riches, mais aux conditions d'existence des plus défavorisés. »

Vocabulary

une rocade by-pass
un raccordement link
un actif working personnel (employee)
RATP Régie Autonome des Transports Parisiens
à longue échéance long range/long term

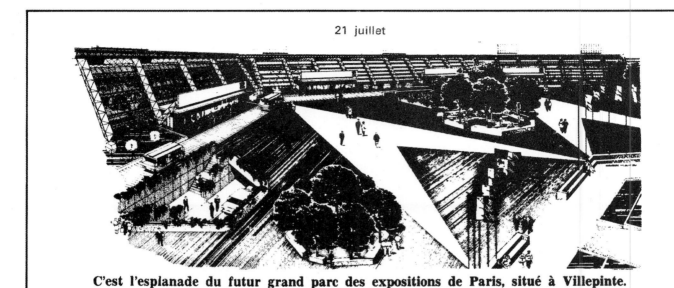

21 juillet

C'est l'esplanade du futur grand parc des expositions de Paris, situé à Villepinte.

In other words

The following expressions are from the radio broadcast. Find phrases in the article
which have a similar meaning:

définir un objectif
les trois horizons
terminer le super-périphérique
des problèmes spécifiques
trop d'emplois dans le centre
la solution ne réside plus dans
les quartiers bourgeois
les pauvres

In your own words

1 Comment la région est de l'Ile de France va-t-elle bénéficier de l'exposition?
2 Pourquoi est-il nécessaire de rapprocher l'habitat de l'emploi?
3 Pourquoi y aura-t-il certainement une augmentation des tarifs des transports en
  commun?
4 Selon le Président, comment peut-on mesurer la vraie grandeur d'une capitale?

Savoir-faire

Find the noun or the verb for the following:

Noun	Verb
	augmenter
allongement	
	achever
	accroître
raccordement	
aménagement	

Now translate the following sentences:

1 There will be no increase in fares this year.
2 Simply to extend the transport network is not the solution.
3 The completion of the eastern section of the motorway will not be easy.
4 There has been an increase in the number of daily journeys this year.
5 It would be convenient if a link were made between the motorway and the by-pass.
6 The authorities must provide all amenities in the new towns before the inhabitants arrive.

Reporting

Imagine that you are a Parisian writing a letter to a newspaper, drawing attention to some of the capital's problems. Include the following points:

dépopulation de Paris
emplois dans le centre
les gens habitent la banlieue
les chiffres
solution possible
allonger les réseaux de transport
solution préférable: rapprocher l'habitat de l'emploi
meilleur équilibre entre Paris et la banlieue

7

Les motards

Vocabulary

une hécatombe slaughter
en rase campagne in open country
frimer to show off
épater to give a thrill to

Answer the following questions in English

1 What two measures have been taken to try to reduce the enormous number of motorcycle accidents?
2 By how much has the number of accidents risen in the past six months?
3 What conclusion is drawn from this statistic?
4 How many people die from motorcycle accidents each year?
5 What age group is particularly affected?
6 Where do most accidents occur?
7 Give two further details.
8 According to the colonel, what is the principal reason for the accidents?
9 Is the motorcyclist always at fault? Explain.
10 What bad habit do many motorcyclists have?
11 How does this affect the car driver?
12 What does the colonel point out about the countryside?
13 Why do motorcyclists show off?
14 What is the final conclusion regarding the motorcyclist's driving ability?

---

29 juillet

Moto : la grande chevauchée

Une passion qui se paie cher

Moto-passion : ils sont aujourd'hui plus de 600.000 motards en France, les trois quarts âgés de moins de vingt-cinq ans. Plus qu'un moyen de locomotion, davantage qu'un sport, la moto est pour eux synonyme d'évasion.

Moto-angoisse : depuis le début de l'année, 363 motards se sont tués sur les routes. Par rapport à la même période de 1979, une augmentation de 45,8 %. Selon la Sécurité routière, si ces tendances se confirment, on comptera en 1980 1.500 tués et plus de 40.000 blessés à moto. Pour juillet et août, mois traditionnellement les plus meurtriers, la Sécurité routière s'attend à 6 morts et 140 blessés par jour. Pour les motards, ces chiffres, qu'ils contestent, contribuent à créer un climat antimoto.

Moto

« Il n'y a que sur ma moto que je me sens libre. »

« Non, non, non et non ! » Les motards en colère scandent leur révolte. Casqués, bardés de cuir, bottés, sanglés, ils défilent, armada humaine dans l'odeur des gaz et le vrombissement des moteurs. A Paris, à Bordeaux, Lyon, Marseille ou Toulouse, chacun a pu les voir, ces drôles de chevaliers sur leurs drôles de machines, manifester contre le nouveau permis, contre la vignette, contre les péages, contre la T.V.A. Ils se défendent, pourtant, d'être des « antitoutistes ». « Ne touchez pas à la moto, disent-ils, nous n'en demandons pas plus. La moto, notre vie, la moto, notre liberté. »

Liberté. C'est un mot clé de l'univers motard. Un mot qui revient sans cesse ou, au contraire, qu'on prononce le moins souvent possible de crainte de l'émousser. Et pour certains, cette liberté va jusqu'au droit à se tuer. Ils ne veulent pas mourir, ils veulent frôler le danger. Ils ne contestent pas les accidents, ils ne nient pas que la moto est risque. Mais ils refusent d'en assumer l'entière responsabilité.

« On publie, disent-ils, des statistiques, on aligne des chiffres mais on ne précise jamais pour les accidents le pourcentage des responsabilités. On passe sous silence l'augmentation du parc moto. »

Alors, pour être pris au sérieux, les motards à leur tour brandissent des chiffres.

Au cours de la dernière année, le parc moto a augmenté de 50 %. Si en 1979 il y a eu 1.005 tués en moto, 2.189 piétons et près de 1.500 cyclomotoristes ont également trouvé la mort.

Mais les piétons sont légions et le parc des cyclomoteurs en France est estimé à plus de 5.500.000 engins.

Qu'on le veuille ou non, il est quatre fois plus dangereux de rouler en deux roues qu'en voiture.

Traumatologue à l'hôpital Raymond Poincaré de Garches, le docteur Cogan a fait sa thèse sur l'accidentologie des deux roues à moteur. « On assiste, dit-il, à une véritable épidémie d'accidents. Ce sont des jeunes entre 15 et 20 ans avec une forte proportion de 17 à 19 ans. »

« C'est ma famille »

Dehors, au soleil, dans les allées de l'hôpital passent les voitures des handicapés, des plâtrés, des rescapés. Philippe a 17 ans et des yeux verts. Double fracture ouverte. Dix mois d'immobilité, au mieux.

« J'ai toujours rêvé d'une moto, dit-il. A 16 ans, j'ai passé le permis, l'ancien. Mes parents m'ont acheté une 125 cm3. Un an plus tard je me suis payé moi-même une 500 Honda. J'avais travaillé pendant les vacances. C'était, le garçon sourit aux anges, le pied ! »

L'accident ? Philippe secoue la tête. Ça peut arriver. Mais il estime qu'il s'en est bien sorti. Remonter ? Bien sûr il va remonter. « Il n'y a que sur ma moto que je me sens libre, que je suis bien. » Le risque ? Il éclate de rire. « Si on ne risque jamais sa vie, on finit par oublier qu'on existe. »

Non loin de l'hôpital Raymond Poincaré, un parc. Au milieu du parc, un étang. Près de l'étang, six motards allongés dans l'herbe. Ils ont ôté leur casque, déchaussé leurs bottes. La moto ? Ils répondent en chœur : « liberté ». Ils disent : « refuge, évasion ». Ils n'ont pas très envie d'expliquer. Mais peu à peu les mots se précipitent : « La moto, c'est une famille. La moto, c'est grisant. On fait corps avec la bécane, on fait corps avec l'environnement. Il y a le vent, le bruit, le paysage qui défile plus vite, toujours plus vite. On passe partout. En moto, c'est simple, on « s'éclate ». Le danger, ça se savoure. Et puis, les garçons rient, on peut « frimer ». Et puis les filles ça les impressionne. Et puis, la voiture c'est bon pour les vieux, les parents. »

« Les jeunes, à notre époque, dira le colonel Lagache du Comité interministériel de la Sécurité routière, naissent quasiment dans une voiture. La moto pour eux est signe d'émancipation, d'indépendance par rapport à leurs parents. L'attrait de la moto est d'autant plus violent que la voiture est trop quotidienne... »

Fascination, plaisir, la moto est aussi pour les jeunes un moyen de transport relativement peu coûteux, rapide, pratique et, en banlieue, indispensable. Plus que sur le romantisme lié à la moto, l'Association des motards en colère insiste sur son utilité et fonde d'ailleurs son plaidoyer anti-vignette sur la moto-nécessité. Jean-Marc Maldonado, président de cette association, a les cheveux longs, des lunettes blanches, un blouson, un cartable avec des tas de papiers dedans. Lettre à un député, lettre à un ministre, lettre à un maire ; note sur les casques, note sur les assurances, rapport sur le nouveau permis, communiqué sur la dernière manifestation motarde.

« Le gouvernement, affirme Maldonado, fait de l'antimoto ». A titre d'exemple il cite les taxes auxquelles les motards sont soumis. Un produit de première nécessité est taxé à 7%. Le casque, qui est pourtant obligatoire, est taxé à 17,60%. Jean-Marc Maldonado insiste sur cette injustice, cette brimade évidente. Avec lui ou sans lui, les motards piaffent et protestent. Car de plus en plus ils ont l'impression d'être incompris et mal aimés.

Incompris comme le sont tous les jeunes. Mal aimés comme le sont toutes les minorités bruyantes.

Vocabulary

scander stress, chant
bardé encased
sanglé strapped up
la vignette road tax
la TVA Value Added Tax
émousser to blunt
le parc moto the 'fleet' of motorcycles (*ie* the number of motorcyclists)
un rescapé survivor
c'était le pied! it was fantastic!
grisant exhilarating
une bécane bike
quasiment almost
une brimade harassment
piaffer to agitate, make a fuss

In your own words

1 Quels sont les sentiments des motards vis-à-vis de leurs machines?
2 Pourquoi ne sont-ils pas d'accord avec les statistiques?
3 Quelle est l'attitude des autorités par rapport aux motards?
4 En ce qui concerne les parents, pourquoi la moto est-elle un symbole de révolte?
5 Comment les motos peuvent-elles être utiles à la société?

Talking about statistics

Here are some phrases which are used when talking about statistics. Add at least four more words or phrases from the Figaro article.

le nombre a augmenté
la principale cause
un (tué) sur trois
la minorité/majorité
une moitié de/un tiers de
la plupart
plus de (+chiffre)

Now compile some statistics. The text on p.54 may also be of use.

Reporting

You have just been involved in a motorcycle accident. Fortunately you are unhurt. Tell your story giving the following information:

driving motorcycle in countryside
speed: 80 km per hour approximately
just after bend you saw the crossroad
car came out from the left
you therefore had priority
the road was wet; braked hard; fell off

8

Carambolage sur l'autoroute

Vocabulary

un carambolage pile-up *lit* cannoning, as in billiards
un bilan balance sheet
le chalumeau oxy-acetyline torch
enchevêtré entangled
défoncer to smash up
broyer to crush
un poids lourd juggernaut
laminé par la tôle crushed by the metal
une greffe graft
indemne unhurt
une grue crane
faire un tête-à-queue to slew round
une remorque trailer
la purée de pois fog
le désembuage demister

Answer the following questions in English

1 What do the figures 56 and 472 represent?
2 When and where did the pile-up occur?
3 How did the rescue teams get the dead and injured out?
4 How did Gilbert Picard get to the scene of the accident?

5 What was the man doing in the car crushed by the lorry?
6 Describe the scene at the side of the motorway.
7 What did a pregnant woman do when she got out of the car?
8 What did doctors feel about some people who were in a coma?

9 Describe how the accident is said to have happened.
10 Was the fog the only cause of the accident?

11 What lights should be on in fog?
12 What two things does the colonel say about rear fog lights?
13 What should one do to avoid being surprised?
14 What sort of speed should one maintain?
15 When should one be particularly careful?
16 What two things should be switched on and why?
17 When should one not hesitate to stop?

« A-13 » : collisions en chaîne sur 2 km
Le grand carambolage

Les véhicules enchevêtrés sur l'autoroute de l'Ouest

Deux morts, six blessés graves, une vingtaine d'autres moins sérieusement atteints, près de deux cents voitures écrasées, déformées, éventrées ou retournées, une trentaine de poids lourds les roues en l'air, couchés sur le flanc ou encastrés les uns dans les autres... Le gigantesque télescopage qui s'est produit hier matin peu avant onze heures sur l'autoroute de Normandie « A 13 », dans le sens province-Paris entre l'échangeur des Mureaux (Yvelines) et l'aire de repos de Morainvilliers, est, sinon le plus meurtrier, du moins l'un des plus spectaculaires jamais survenu sur une autoroute.

Le brouillard, qui recouvrait la vallée de la Seine, entre Rouen et Poissy, semble être le principal responsable de cette série de carambolages. A l'origine de ces accidents une voiture qui, roulant à vive allure, a dû brusquement se déporter sur la droite, obligeant le conducteur d'un poids lourd à l'éviter. Déséquilibrée, la remorque du camion s'est mise en travers de la chaussée. Les premières voitures sont alors venues se jeter contre l'obstacle.

En moins de dix minutes, plus de deux cents voitures et camions se jetaient les uns sur les autres, sur deux kilomètres. Bloqués dans la ferraille tordue, les morts et les blessés graves ont dû être dégagés par les pompiers à l'aide de scies.

Les importantes quantités d'essence échappées des réservoirs éventrés ont rendu très périlleux le découpage des carcasses, au milieu des cris et de l'affolement des conducteurs et des passagers désemparés. *« Les causes exactes de cet accident hors du commun seront difficiles à établir, mais tous les secours sont intervenus avec une grande rapidité »*, a déclaré sur place Laurent Clément, préfet des Yvelines.

L'autoroute a dû être fermée une grande partie de la journée d'hier pour permettre aux dépanneuses et aux grues de dégager les véhicules enchevêtrés dont bon nombre ne seront pas récupérables.

Vocabulary

un échangeur (motorway) junction
une aire de repos service area
désemparé helpless
une dépanneuse break-down truck

In other words

The following expressions are from the radio broadcast. Find phrases in the article which have a similar meaning:

des blessés, certains très grièvement
des voitures littéralement broyées
des voitures enchevêtrées
faire un tête-à-queue
il roulait très vite

un mur de ferraille
la collision en chaîne
découper l'amas de ferraille
les automobilistes choqués

In your own words

1 Précisez le lieu où s'est produit le carambolage.
2 Pourquoi est-ce que le découpage des voitures éventrées est une opération dangereuse?
3 Selon le préfet des Yvelines, quelles sont les causes de l'accident?
4 Pendant combien de temps est-ce que l'autoroute a dû être fermée?

Know your motorway

Explain in French the meaning of the following expressions:

dans le sens province-Paris
un échangeur
une aire de repos
la chaussée
la file de gauche de l'autoroute
une dépanneuse

Role play

You are a driver who has witnessed the pile-up. A journalist is interviewing you.

JOURNALISTE: Qu'est-ce qui s'est passé devant vous au moment où l'accident s'est produit?
VOUS: Say that the fog was very thick, visibility was less than 30 metres and that you suddenly saw a lorry across the carriageway.
JOURNALISTE: Et vous conduisiez à quelle vitesse?
VOUS: Say it was about 60km an hour and in the right-hand lane.
JOURNALISTE: Et qu'est-ce que vous avez dû faire?
VOUS: Say that you had to brake hard and swerve to the right.
JOURNALISTE: Est-ce que vous avez complètement évité l'obstacle?
VOUS: Say yes, luckily, but hundreds of other vehicles hit it.
JOURNALISTE: Et vous avez attendu longtemps les secouristes?
VOUS: Say no, they arrived on the scene very quickly. After only a few minutes you saw a helicopter trying to land.
JOURNALISTE: Quelles précautions prenez-vous quand vous conduisez dans de telles conditions?
VOUS: Say that you keep your distance, you reduce your speed and you dip your headlights.
JOURNALISTE: Merci, M./Mlle, je suis très content de voir que vous êtes sorti(e) indemne de cet accident affreux.
VOUS: Say yes, thank God!

9

Pétrole dans la Durance

Vocabulary

un oléoduc oil pipeline
acheminer to convey
le brut crude oil
le littoral méditerranéen the Mediterranean coast
ravitailler to supply
une bretelle branch
une culture crop
faire l'objet de to be subjected to
être de taille to be of the same magnitude (as)
un important dispositif a large number of people

Answer the following questions in English

1 What joke does the announcer first make?
2 Why is the reality not so funny?
3 Where does the pipeline start?
4 How many countries does it supply?
5 What problems are the emergency services faced with?
6 Why is the PLSE so important?
7 From which part of the world does the oil originally come?
8 How long has the pipeline existed?
9 What do we know of security surrounding the pipeline?
10 What happened in 1976?
11 How serious is the present accident? Give details.
12 How did the accident happen?

---

11 août

Rupture du pipe-line sud-européen
Pétrole dans la Durance

Pétrolier éventré, marée noire, plages polluées, Bretagne mazoutée. Le scénario était devenu familier. Aujourd'hui, le décor bascule et la pollution gagne la Provence. A l'origine de cette nouvelle forme de pollution terrestre, la rupture du pipe-line sud européen qui relie Fos-sur-Mer à Oberhoffen-sur-Moder, dans le Bas-Rhin. Mille mètres cubes de fuel lourd se sont déversés dans un cours d'eau, l'Anguil-lon, près de Châteaurenard, puis dans la Durance, et ont gagné plusieurs caneaux d'irrigation. Plusieurs cultures maraîchères risquent d'être détruites. D'autre part, la nappe phréatique qui alimente les sources des Bouches-du-Rhône pourrait être contaminée.

D'importants moyens ont d'ores et déjà été mis en place pour lutter contre ce « courant noir ».

Paluds de Noves

Dans la nuit de samedi à dimanche, aux environs de 1 h 20, une forte odeur de fuel envahie la petite commune située à dix kilomètres de Châteaurenard (Bouches-du-Rhône). L'alerte est donnée par les habitants. Elle se répand jusqu'à Miramas où les vannes de l'oléoduc, en amont du point de rupture, sont aussitôt fermées.

Mais sur les lieux, un geyser noir de 120 m de hauteur continue à jaillir et se répand dans l'Anguillon sur 20 cm d'épaisseur, pour aller se déverser ensuite dans la Durance.

En pleine nuit, la Protection civile fait converger vers les lieux du sinistre plusieurs corps de sapeurs-pompiers, un bataillon de marins-pompiers de Marseille et deux unités de la sécurité civile spécialisées dans la lutte antipollution.

Tôt dans la matinée de dimanche, badauds et agriculteurs se pressaient sur les rives de l'Anguillon qui, à gros bouillons, charriait le pétrole brut. Pour contenir le fuel, deux barrages, l'un sur la Durance à hauteur du Pont-de-Rognonas, l'autre sur l'Anguillon étaient mis en place et le pompage avait déjà commencé. Il durera sans doute encore deux à trois jours. L'Anguillon est pollué à 100 % sur 12 km. Quelques canaux d'irrigation ont été touchés mais les plus importants sont sains.

L'importance de cette pollution fluviale est encore difficilement estimable. La Direction départementale de l'action sanitaire et sociale (D.A.S.S.) procède actuellement à des analyses de pollution mais, selon le sous-préfet, Georges Lefèvre, qui dirige l'état major de lutte, « compte tenu des mesures qui ont été prises, les conséquences écologiques devraient être limitées ».

L'oléoduc sud-européen est l'un des principaux pipe-line qui alimente les raffineries de l'Est de la France, de l'Allemagne fédérale et de la Suisse. Six pays ont participé à la création de la « Société du pipe-line sud européen ».

Le pipe-line Fos-Strasbourg
se brise près de Châteaurenard (B.-du-R.)
Marée noire sur la Durance

Pompage du pétrole sur la Durance près de Châteaurenard, dans les Bouches-du-Rhône. Plusieurs barrages ont été mis en place pour retenir le fuel lourd.

La « Société du pipe-line sud européen » exclue l'hypothèse d'un sabotage. Selon elle, les causes de la rupture, bien qu'elles ne soient pas encore connues, sont d'ordre purement technique.

Mais les habitants de la région haussent les épaules : causes techniques, causes mécaniques, peu leur importe ! Ils regardent l'Anguillon, rivière noire, ils se souviennent du Tanio, là-bas en Bretagne. Ils croyaient être à l'abri des pétroliers qui croisent au large des côtes. Le pétrole les a rejoints dans les terres, s'est infiltré jusqu'à eux par les rivières. Ils avaient, pour certains, oublié qu'un pipe-line serpentait sous les vergers. Le pipe)line s'est rompu et le mazout a investi la région.

La catastrophe, grâce aux moyens rapidement déployés, a été sans doute évitée. Mais la peur du pétrole a fait son apparition en Provence.

Irina de CHIKOFF.

**Marseille :
enquête
de Pierre BERNARD**

Vocabulary

mazouté covered in oil
basculer to lose one's balance
les cultures maraîchères market garden crops
une nappe phréatique water table
d'ores et déjà here and now
une vanne sluice gate
en amont upstream

In other words

Find phrases in the article which have a similar meaning:

il conduit le brut entre A et B
ils ont rassemblé (un dispositif) à l'endroit où l'accident s'est produit
il est difficile de calculer l'importance de la pollution
le paysage ne devrait pas être trop abîmé
ravitailler six pays européens
être hors de danger/être en sûreté contre
une rupture de l'oléoduc
15 mètres cubes se sont écoulés sur

In your own words

1 Comment les habitants se sont-ils rendus compte de la rupture du pipeline?
2 Quelle mesure a tout de suite été prise?
3 Cependant, comment la Durance a-t-elle été polluée?
4 Comment a-t-on essayé de limiter les conséquences écologiques?
5 Pourquoi l'oléoduc ferait-il l'objet d'un attentat par des saboteurs?
6 Pourquoi les habitants de la région se croyaient-ils à l'abri de la pollution par le pétrole?

Link the following phrases

soit on accepte la technologie moderne . . .
ni les pompiers ni les services de secours . .
on ne connaît pas non plus . . .
d'une manière ou d'une autre . . .
que ce soit un pétrolier ou un oléoduc . . .
quelle que soit l'importance des dégâts . . .

. . . il faudra payer une indemnité aux propriétaires
. . . on continuera à acheminer le pétrole
. . . il y a toujours le risque de pollution
. . . les dommages subis par la faune et la flore
. . . n'ont pu empêcher la pollution de la rivière
. . . soit on fait des recherches sur d'autres sources d'énergie

Role play

You are the first to arrive at the scene of a disaster. You are watching the clearing up operations when a journalist asks whether you are willing to answer some questions.

VOUS: Say yes, certainly. You'd be very pleased if she wrote a story on the matter. Explain that you are a farmer and were the first to notice a strong smell of oil. You went into one of your fields and you saw a jet of oil rising 100 metres into the sky.

JOURNALISTE: Et qu'est-ce que vous avez fait?

VOUS: Say that naturally you phoned the police and gave the alarm.

JOURNALISTE: C'était à quelle heure, Monsieur?

VOUS: Say that it was about 1.45 in the morning. Firemen soon arrived and have been working since then to contain the spread of oil in the river.

JOURNALISTE: Il paraît que certains canaux d'irrigation seraient touchés.

VOUS: Say yes, you are very worried and angry. The oil might destroy your crops. You thought you were safe from oil pollution, here, inland.

JOURNALISTE: Merci Monsieur. Espérons qu'une catastrophe sera évitée.

VOUS: Say that you hope so too.

10

Les prévisions de météo

Vocabulary

patatras lo and behold
arroser to water, to sprinkle
une éclaircie brighter period

Answer the following questions in English

1 Where is the bad weather heading?
2 Where is the best weather going to be during the week?
3 What will temperatures be like?
4 In what way will there be an improvement on Wednesday?
5 What weather will France experience at the weekend?

Amélioration par le nord

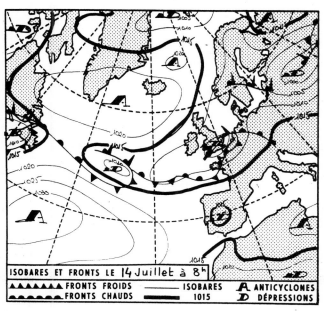

ISOBARES ET FRONTS LE 14 Juillet à 8ʰ

▲▲▲▲▲ FRONTS FROIDS ——— ISOBARES   A   ANTICYCLONES
●●●●● FRONTS CHAUDS ▬▬▬ 1015   D   DÉPRESSIONS

L'importante perturbation pluvieuse qui traversait le Nord de la France s'éloigne vers l'Est. La zone de mauvais temps achève de traverser la moitié sud du pays, suivie d'amélioration par le Nord.

En France aujourd'hui

RÉGION PARISIENNE. – Ciel variable. Belles éclaircies – Vent de secteur Nord. Minimum 12. Maximum 18-19.

AILLEURS. – Des Pyrénées et du Bordelais à l'Alsace au Jura et aux Alpes : temps médiocre. Pluies ou bruines intermittentes, orages isolés. Vent de secteur ouest modéré. Maximum en baisse. – Au nord de cette zone : lente amélioration. Après une matinée brumeuse ou nuageuse. Ciel variable et belles éclaircies l'après-midi surtout au nord de la Loire. Vent s'orientant au secteur nord irrégulier et assez fort en Manche. – Température maximale en faible hausse, ne dépassant pas 17 ou 19° – Corse et régions méditerranéennes. Beau temps chaud avec nuages et tendance orageuse en fin de journée. Vent dominant du quadrant sud-est.

DEMAIN. – Le temps sera nuageux et orageux de la Corse aux Alpes. Ailleurs prédominera un flux de secteur nord frais mais généralement ensoleillé. Quelques rares averses se produiront encore sur les massifs montagneux. Les températures maximales en hausse seront encore souvent au-dessous des normales saisonnières.

SOLEIL : lever, 6 h 05 ; pass. au méridien, 13 h 57 ; coucher, 21 h 48 ; durée du jour, 15 h 43.

LUNE : (4° jour) lever, 9 h 24 ; pass. au méridien, 16 h 35 ; coucher, 23 h 35.

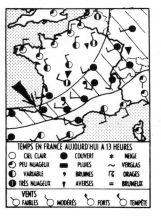

TEMPS EN FRANCE AUJOURD'HUI A 13 HEURES

○ CIEL CLAIR	● COUVERT	✳ NEIGE
◑ PEU NUAGEUX	▬ PLUIES	∼ VERGLAS
◐ VARIABLE	ˏ BRUINES	⚡ ORAGES
◕ TRÈS NUAGEUX	▼ AVERSES	= BRUMEUX

VENTS ○ FAIBLES   ○ MODÉRÉS   ○ FORTS   ○ TEMPÊTE

Températures

- **Première colonne :** temps, à 14 heures. le 14 juillet (S : soleil ; N : nuageux ; C : couvert ; P : pluie ; A : averse ; O : orage ; B : brouillard ; * : neige).
- **Deuxième colonne :** température, à 8 heures, le 14 juillet.
- **Troisième colonne :** température, à 14 heures, le 14 juillet.

Ajaccio	S	15	23	Limoges	C	12	16	St-Etienne	C	15	25	Casablanca	S	20	26	Madère	S	22	24
Biarritz	N	13	20	Lorient	C	14	17	Strasbourg	P	14	19	Copenhague	N	13	16	Madrid	S	14	31
Bordeaux	N	12	21	Lyon	C	15	24	Toulouse	C	12	24	Dakar	S	24	27	Milan	C	17	23
Brest	C	12	16	Marseille	S	18	25	Tours	P	14	17	Djerba	–	–	–	Moscou	A	12	14
Cherbourg	P	13	14	Nancy	P	14	16					Eliat	S	32	41	Oslo	N	15	21
Clermont-F.	C	14	24	Nantes	C	15	18	Alger	S	16	29	Genève	C	14	23	Palma Maj.	–	–	–
Dijon	C	14	22	Nice	S	15	21	Athènes	S	24	30	Helsinki	C	14	19	Rhodes	S	24	29
Dinard	C	15	17	Paris	P	15	17	Barcelone	S	16	22	Istanbul	–	–	–	Rome	S	17	24
Embrun	N	10	24	Pau	S	12	19	Berlin	S	11	18	Las Palmas	S	19	26	Séville	S	18	31
Grenoble	C	14	24	Perpignan	N	17	24	Beyrouth	S	27	29	Le Caire	S	23	35	Stockholm	C	15	20
La Rochelle	P	17	17	Rennes	C	14	18	Bonn	A	13	17	Lisbonne	–	–	–	Téhéran	–	–	–
Lille	C	14	17	Rouen	P	14	16	Bruxelles	A	14	17	Londres	C	13	15	Tunis	S	19	29

Comparing language

Compare Jacques Koestler's forecast with that of Figaro. Are there any differences? Find words or phrases in each text which are similar.

In your own words

1 Selon la liste de villes françaises, où est-ce qu'il fera le plus chaud à 8 heures, le 14 juillet?
2 Dans quelles villes étrangères fera-t-il un temps nuageux le 14 juillet?
3 Quel temps fera-t-il en Corse pendant les deux jours dont parlent les prévisions?
4 En général, est-ce qu'il fera plus ou moins beau qu'il ne fait normalement pendant le mois de juillet?

Reporting

Prepare a weather forecast to be broadcast on the radio. Include the following points:

amélioration dans le Sud, sauf les régions montagneuses
le Nord encore mauvais temps – orageux toute la journée, peut-être un peu de soleil le soir
températures normales dans le Sud, basses dans le Nord
les régions méditerranéennes – très beau, beaucoup de soleil, averses ou orages dans les montagnes

11

Conseils aux consommateurs

1 Les restaurants: vos droits

Vocabulary

un litige argument, disagreement
un jour férié holiday

épuisé finished, *lit* exhausted
pour autant for all that

Answer the following questions in English

1 What two problems might a customer encounter as suggested at the beginning of the extract?
2 What must all categories of restaurants display?
3 What are the regulations regarding the serving of meals?
4 What should happen if a set meal is no longer available?
5 What must be written on the menu?
6 Concerning drinks, what is the minimum that must be on offer?
7 What should you not do if something is wrong?
8 What three things should you do?

In your own words

Listen to the tape again and then try to summarise your rights.

Role play

During your holiday you have had an unfortunate experience in a restaurant. You visit the regional consumers' association to make a complaint.

EMPLOYE: Bonjour M./Mme/Mlle. Je peux vous aider?
VOUS: *Say that you went to a restaurant. A 35F menu was in the window. When you entered, the owner said that it was finished and had been substituted by a 45F menu.*
EMPLOYE: Est-ce que le menu était affiché 'service compris'?
VOUS: *Say yes, that's why you were surprised when he added 12F for service. Also when you asked for a jug of water he charged you 2F for it.*
EMPLOYE: Est-ce que vous avez pris quelque chose à boire?
VOUS: *Say yes, you had half a litre of the vin du patron. There was no other choice. Not even beer, which you wanted.*
EMPLOYE: Et vous n'avez pas signalé le fait au restaurateur?
VOUS: *Say yes*, but you didn't lose your temper or let it spoil your holiday. However he refused to change the bill so you came straight to the association.*

*NB Affirmative answer to negative question.

2 Viande avariée

Vocabulary

un piège trap
pendant la saison *ie* the summer season
une station balnéaire seaside resort
tomber dans le panneau to be 'taken for a ride'
merguez spicy sausage
avarié 'off', not fresh

Answer the following questions in English

1 What is the particular characteristic of these traders?
2 How much meat was seized?
3 Where and for how long are investigations continuing?
4 What two things should one do before buying from such places?
5 What regulations govern the sale of prepared dishes?
6 What are the regulations with regard to shell-fish?
7 What should one do if confronted with food that is not fresh?

9 août

Landes : les steaks avariés des baraques à frites

MONT-DE-MARSAN :
Georges DUBOS

Il y a deux mois déjà que le comité du Tourisme des Landes a levé l'étendard de la révolte contre la prolifération chaque année accrue des commerces saisonniers ignorant totalement les règles d'hygiène.

Dans un département où l'aménagement touristique et la protection de la nature sont devenus une religion, on voit en effet se multiplier les caravanes de marchands de frites, merguez, brochettes, sandwiches, crêpes, installées dans des cars cabos-

sés ou des baraques branlantes sur des sites classés et des rivages sensibles. Vocation temporaire, certes, suscitée par l'afflux de touristes, mais qui présente de graves dangers pour la santé des consommateurs : ces installations sommaires ne disposent le plus souvent ni d'eau ni d'électricité. La salubrité des produits proposés est donc grandement sujette à caution.

Une offensive fructueuse

Conscient de la dégradation de la situation le préfet des Landes a décidé de réagir. Energiquement. En sensibilisant d'abord par une lettre circulaire les maires du département, puis en entreprenant une action directe dans laquelle se trouvaient engagés, avec la gendarmerie, les représentants de la Direction départementale de l'Equipement, de la Direction de la concurrence

et de la consommation, des services fiscaux de l'U.R.S.A.F., et de la direction départementale des affaires sanitaires et sociales.

Le 30 juillet une première opération était lancée dans le sud-ouest du département en bordure de la route nationale 10, Bordeaux-Bayonne. Elle s'avérait fructueuse : huit contrôles permettaient de relever soixante-douze infractions, avec, en six

endroits, découverte de viandes avariées. Cent kilos étaient saisis.

Le 6 août, nouvelle offensive d'envergure. Cette fois à Biscarosse, et tableau de chasse encore très éloquent. Sur quinze baraques visitées, soixante-trois infractions enregistrées. Elles motivaient autant de procès-verbaux pour infractions et la réglementation sanitaire, absence d'eau potable, de réfrigérateur. Et saisie d'un total de cent quarante-quatre kilos de viandes avariées.

Les pouvoirs publics ont décidé de poursuivre jusqu'à la fin du mois d'août des opérations de ce genre.

Vocabulary

cabossé dented
d'envergure sweeping, extensive
un tableau de chasse catch, bag (as in hunting)
un procès verbal court case

In other words

Find phrases in the article which have a similar meaning:

ils poussent comme des champignons
uniquement pendant la saison
les boutiques/les baraques
la réglementation sanitaire
s'il n'y a pas d'eau courante
la fraîcheur n'est pas garantie

In your own words

1 Que fait le Comité du Tourisme des Landes depuis deux mois?
2 Qu'est-ce qu'on entend par 'ils sont devenus une religion'?
3 Qu'est-ce qui suscite chaque année cette prolifération de baraques?
4 Pourquoi ne peut-on pas toujours garantir la fraîcheur de ces produits?
5 Qu'est-ce qu'on entend par 'sensibiliser les maires du département'?
6 Quel a été le résultat de la première opération?

Role play

After another unfortunate experience on your holiday, you go to the police station to complain.

AGENT: Bonjour M./Mme/Mlle, c'est pour quoi?
VOUS: Introduce yourself and say that you have been sold food which had gone off.
AGENT: Où ça, dans un restaurant?
VOUS: Say no, on a stall, near the beach.
AGENT: Et vous l'avez consommée au comptoir?
VOUS: Say yes, it was a pizza but you couldn't finish it. It was neither on a hot-plate nor in a fridge. It was exposed to the sun.
AGENT: Est-ce que vous avez remarqué s'il y avait de l'eau ou de l'électricité dans le local?
VOUS: Say that you think there was not.
AGENT: Merci M./Mme/Mlle, je vous assure qu'on va tout de suite contrôler cette baraque. Elle se trouve où exactement?
VOUS: Say that it is at the far end of the beach near the showers.

La frontière espagnole bloquée

Vocabulary

au point mort at a standstill
un poivron pepper
un rayon radius
une remorque trailer

les purs et durs hardliners
un bouclier shield
anti-émeute anti-riot
une pagaille mess, disorder

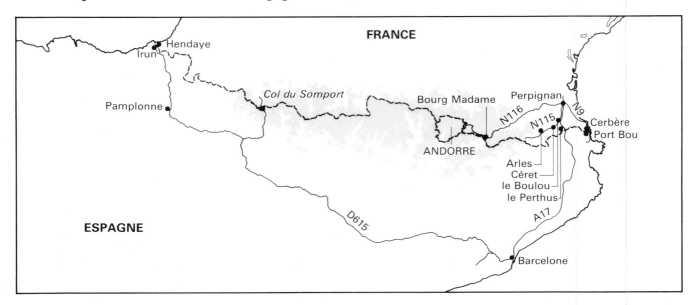

Answer the following questions in English

Look carefully at the map of the 'région des Pyrénées' before listening to the tape.
Then answer the questions below in English.

1 Where on the Franco-Spanish border is the action taking place?
2 How many lorries are said to be at the border?
3 What is the weather like?
4 Why does this make the situation worse?
5 How have some lorry drivers gone away from the scene?
6 Why is alcohol forbidden in the local village?
7 How do the lorry drivers pass the time?
8 How are the police dressed and kitted out?
9 What did Georges Tourlet see a little while ago?
10 Look again at the map and imagine that you are trying to get from France to
   Barcelona in Spain:
   a. Why not travel down the N 9 or the motorway?
   b. On the N 115 it appears that the barricade has been removed. Why should
      you still avoid it? (Give two reasons.)
   c. What two ways through the mountains does Inter-Route suggest? Why are
      these still problematical?
   d. What disadvantages are there in the Col du Somport and the Hendaye-Irun
      routes?
   e. What, according to Inter-Route, is the best solution?

La frontière espagnole toujours bloquée
Des paysans en colère

Notre envoyé spécial, Jacques Duplouich, a rencontré les paysans en colère du Roussillon. Ils lui ont expliqué les raisons de leur révolte. C'est un témoignage intéressant que nous publions à titre documentaire même si nous ne pouvons partager toutes les opinions exprimées. Il nous faut également souligner que nous ne pouvons en aucune façon excuser les attentats commis contre des camionneurs espagnols. Ils sont totalement inacceptables (N.D.L.R.).

MILLAS :
De notre envoyé spécial :
Jacques DUPLOUICH

Ils sont tous jeunes. Trente, quarante ans peut-être. L'œil noir et grave. Le cuir tanné par le soleil et la tramontane. Dans le bureau exigu de la coopérative agricole de Millas, ils sont venus pour parler. Pour exprimer la même vérité : ils n'en peuvent plus. « Travailler à perte, c'est fini. Il faut que ça change. Sinon... »

Ils s'appellent René, Maurice, Joseph et Pierre. Profession : paysans. Des vrais. Étaient-ils l'autre jour du commando qui a brûlé une dizaine de camions espagnols, non loin de Perpignan ? Peut-être. Peut-être pas. La loi du silence est absolue. Ils le savent, c'est sûr, qui a participé à l'autodafé...

Ici, autrefois, on cultivait au rythme des saisons beaucoup de vigne, un peu de fruits. Devant la surproduction viticole, il a fallu changer son fusil d'épaule. Alors, on s'est adapté. Aujourd'hui, on fait, grâce aux techniques agricoles modernes, de la salade en hiver, des pommes de terre, tomates, pêches, abricots au printemps et en été. Le travail, ils connaissent. Tôt levés, couchés tard, normal. Dix heures d'activité quotidienne en moyenne, six jours et demi sur sept. Rentrés à la maison, ce n'est pas fini : il faut aussi s'occuper d'administration, de gestion. Une vie dure, dont nul pourtant ne se plaint : après tout c'est la règle du jeu. Et plutôt cela que d'être fonctionnaires.

Rêves déçus

Mais depuis quelques mois, rien ne va plus. Tenez, René, par exemple. A 32 ans il avait de quoi être satisfait. Après une jeunesse studieuse au lycée agricole, dont il sort avec un diplôme de technicien en poche, il hérite de l'exploitation familiale. Oh, modeste ! Sept à huit hectares de vignoble. Justement les pouvoirs publics encouragent l'installation des jeunes agriculteurs en leur accordant des prêts bonifiés à des taux dérisoires.

Une aubaine ! D'autant que les caciques de l'Aménagement du territoire claironnent partout que le Languedoc-Roussillon sera demain « la Californie de la France » ! René ne veut surtout pas rater le coche. Sa femme est d'accord. Elle l'aidera à reconvertir le vignoble en une vaste entreprise de cultures maraîchères. Il faut évidemment emprunter pour créer une infrastructure de serres aménagées : au total, 800.000 F, à rembourser en dix ans. Tout est sacrifié à l'exploitation.

Au début les résultats sont à la hauteur des espérances du jeune couple : on honore les traites et on investit toujours davantage dans de nouveaux équipements.

L'an dernier, à l'automne, un premier clignotant s'allume. La « campagne d'été » s'est révélée médiocre, mais permet de faire face aux échéances. Cet hiver, un deuxième clignotant annonce un péril grave. Les salades, qui coûtent 70 à 80 centimes le pied au producteur, ne trouvent preneur qu'à 40 centimes, voire à 15 centimes. On vend à perte. La raison ? Il y en a plusieurs, répond René.

Mais il faut savoir que Hollandais et Allemands ont investi massivement dans la culture des primeurs en Espagne.

Résultat : les Espagnols produisent beaucoup, à bas prix, avec de l'argent étranger, ce qui leur permet d'inonder le marché au prix de dumping. « Personnellement, reconnaît René, à la suite de cette campagne d'hiver, j'ai perdu 60.000 F ! »

Les pouvoirs publics sont alertés par les organisations professionnelles. Celles-ci demandent notamment que les cours des fruits et légumes de printemps soient soutenus et que les importations soient arrêtées assez tôt pour permettre à la production nationale de trouver sa place à son juste prix. Des mesures sont prises. Pourtant, en pleine saison de la tomate roussillonnaise, René, Maurice, Joseph, Pierre et les autres voient les camions espagnols continuer de déverser sur toute la France leurs cargaisons bon marché. Et pas seulement les Espagnols, les Grecs, les Roumains, les Albanais s'en mêlent aussi !

Là-dessus, le ministère des Finances réclame aux paysans des arriérés d'impôts jusqu'en 1975. Pour certains, c'est dramatique. A nouveau, on emprunte. On pare au plus pressé. Mais, un fait est là : l'argent ne rentre plus dans les maisons. « On ne peut plus suivre. On est étranglés », avoue René.

Immigrés de l'intérieur

Alors, trop c'est trop, les paysans perdent patience. Ils pressentent l'effroyable tourbillon de la déchéance que seraient pour eux la faillite, puis la saisie, l'expulsion, peut-être même la prison. Ils n'ont pourtant pas le sentiment d'avoir été inférieurs à leur tâche. Et ils ne comprennent ni les silences du gouvernement ni l'indifférence de leurs concitoyens.

Il est vrai qu'ils se définissent eux-mêmes comme des « immigrés de l'intérieur », des « sous-Français » et, dans leurs propos, perce davantage l'amertume que l'indignation. Alors, quand l'avenir se réduit à « rien », quand le présent se nourrit de désespoir, tout devient possible. Surtout le pire. « On n'a plus rien à perdre, puisqu'on n'a plus rien, explique Pierre. Alors on est prêts à se battre, même physiquement, jusqu'au bout pour notre dignité d'hommes et de paysans. »

Situation tendue au poste frontière de la Junquera bloqué par 2.000 camionneurs espagnols.

Vocabulary

viticol of wine
changer son fusil d'épaule *lit* to wear one's gun on the other shoulder, *ie* change tack
faire face aux échéances to pay one's dues
80 centimes le pied 80 centimes a piece
les primeurs early vegetables
parer au plus pressé to take urgent action
la faillite bankruptcy

In your own words

1 Pourquoi les paysans n'en peuvent-ils plus?
2 Comment la production agricole a-t-elle changé dans le Roussillon?
3 Comment les Espagnols peuvent-ils produire à bas prix?
4 Quelles revendications les paysans du Roussillon ont-ils adressées aux pouvoirs publics?
5 Quel incident a incité les paysans à entreprendre leur action?
6 Pourquoi sont-ils désormais prêts à se battre?

---

20 juin

Fruits et légumes :
Soutenir les cours
Le gouvernement réagit à la colère des agriculteurs du Roussillon

Tandis que les barrages routiers se multipliaient hier de part et d'autre de la frontière espagnole et que les automobilistes cherchant à se rendre en Espagne se trouvaient aux prises avec la plus grande confusion, la situation restait tendue après la destruction lundi de camions espagnols par des agriculteurs français.

Les réactions, malheureusement parfois violentes, des producteurs de fruits et légumes du Roussillon ont amené le ministre de l'Agriculture, Pierre Méhaignerie, à indiquer que « les pouvoirs publics avaient pris et prendraient toutes les mesures possibles dans le cadre de la législation en vigueur pour que le marché des fruits et légumes se tienne ». Il a rappelé en particulier que les frontières françaises venaient d'être fermées aux tomates en provenance d'Espagne et aux pommes de terre d'origine grecque et qu'il s'était rendu à Bruxelles pour demander des mesures de rétorsion contre « les subventions scandaleuses de certains pays ».

Les contre-manifestations des camionneurs français et espagnols ont créé, hier, tout au long de la frontière, une situation confuse et provoqué de gigantesques embouteillages. A l'issue d'une réunion tenue à la préfecture de Perpignan avec des représentants des routiers français solidaires de leurs collègues espagnols, les transporteurs ont donné leur accord pour ne plus dresser d'obstacles à la circulation.

L'autoroute A 17 restait impraticable dans le sens France-Espagne et la circulation était déviée par Port-Bou tandis que quelque 4.000 camions restaient en position à la Junquera du côté espagnol. Dans l'après-midi, la D 615 vers Bourg-Madame était égale ment coupée.

In your own words

1 Pourquoi les agriculteurs français ont-ils détruit des camions espagnols?
2 Qu'est-ce que le ministre de l'Agriculture va essayer de faire?
3 A votre avis, la violence est-elle quelquefois justifiée?

Savoir-faire

Find the noun or the verb for the following:

Noun	Verb
	se révolter
exploitation	
	emprunter
	permettre
réclamation	
importation	

Now translate the following sentences:

1 The difficult circumstances have led to a revolt by local farmers.
2 It has now become impossible to farm the land.
3 Farmers will not be able to survive without a state loan.
4 Before being able to change to market gardening they had to obtain a permit.
5 The government is demanding back the money that it once lent.
6 France continues to import fruit and vegetables from other European countries.

Role play

You are at Carcassonne and you want to cross the border into Spain. You have just heard the traffic information broadcast on the radio, while your friend has been buying food. Discuss the problem when he/she returns.

AMI(E): Alors on est prêt. On part?
VOUS: *Say that you've just heard on the radio that the road is blocked at La Junquera by Spanish lorry drivers. Show him/her where it is on the map.*
AMI(E): Bon, alors, on pourrait passer par Céret et le Col d'Ares.
VOUS: *Say yes, but even though an obstruction has been removed it seems that the traffic is still very bad. Also the road is forbidden at night.*
AMI(E): Eh bien, regardons encore. On peut passer par Cerbère-Port-Bou sur la côte ou bien par Bourg-Madame et Andorre par la montagne.
VOUS: *Say yes, but it seems that we will come across terrible traffic jams there as well. Say that you could go all the way to the Col de Somport but that would make the journey an awful lot longer.*
AMI(E): Alors, qu'est-ce qu'on fait? On reste en France?
VOUS: *Say that perhaps that's the best solution.*

13

Grève SNCF

Vocabulary

des grèves tournantes staggered strikes
les effectifs manpower, personnel
trains à l'appel normal timetable

Answer the following questions in English

1 What has been the news item prior to the tape recording?
2 When will these staggered strikes take place?
3 Who is stopping work?
4 What three issues do the unions particularly want to negotiate?
5 When and how will the disruption start?
6 How will it affect the various stations? Give details.
7 On which day will the strike be at its worst?
8 Which number should one ring for information?

12 janvier

Grève des roulants
S.N.C.F. : trafic très réduit jusqu'à mercredi matin
Un train sur quatre lundi

A partir de ce soir, 20 heures, les usagers de la S.N.C.F. connaitront trois jours bien difficiles. En effet, de très fortes perturbations sont prévues dans le trafic jusqu'à mercredi matin en raison des mots d'ordre de grève lancés d'une part par la C.G.T. et d'autre part par (F.G.A.A.C.) la Fédération autonome des agents de conduite.

La C.G.T., largement majoritaire chez les « roulants » (environ 55 % des voix aux dernières élections professionnelles) et la C.F.D.T. (16 %) les ont appelés à 48 heures de grève à partir de ce soir. Mais l'action pourra être reconduite par période de 24 h. La Fédération autonome, de son côté, qui représente 26 % de cette catégorie, appelle, pour sa part, à la grève du lundi 0 heure au mercredi 6 h du matin.

Les deux mouvements se chevaucheront donc pendant la journée de lundi et sans doute le mardi si les agents C.G.T. et C.F.D.T. décident de reconduire leur action.

Le trafic sera ainsi particulièrement réduit au début de la semaine.

Dès ce soir, les difficultés commenceront. Le service des grandes lignes sera normal à Paris-Nord, mais il sera complètement stoppé à Saint-Lazare et Montparnasse. Seize trains partiront dans la soirée de Paris-Lyon et Austerlitz, un train sur quatre ou cinq circulera dans la banlieue parisienne.

Dimanche un train sur deux quittera Paris pour la province ou l'étranger, mais de nombreux trains assureront les retours vers Paris pour favoriser les retours de week-end et de sport d'hiver.

Grève des roulants

L'accord n'a pu se faire entre les trois organisations syndicales qui organisent le mouvement. La C.G.T. et la C.F.D.T. veulent faire aboutir des revendications tous azimuts tandis que la F.G.A.A.C., signataire de l'accord salarial, a limité ses revendications aux conditions de travail.

Ces grèves s'annoncent cependant d'autant plus dures que l'écart qui sépare les points de vue de la direction et des syndicats est considérable sur plus d'un point. Des rebondissements sont donc à craindre dans les semaines à venir.

1 **Les salaires.** La C.G.T. et la C.F.D.T. qui ne sont pas signataires de l'accord salarial de 1979 demandent un relèvement substantiel des salaires et une augmentation du pouvoir d'achat qui tienne compte de l'indice des prix de la C.G.T.

2 **Les conditions de travail.** Sur ce point, les trois syndicats sont d'accord. Comme lors de la grève de la fin août, ils demandent une renégociation de l'arrêté du 8 août qui doit entrer en application lundi prochain. Ils considèrent que ce texte signé par le ministre des Transports en pleine période de vacances ne tient pas compte de leurs revendications.

En fait, ce nouveau règlement, qui remplace celui de 1945 et qui fut discuté pendant plus de trois ans, apporte des améliorations sensibles aux conditions de travail des cheminots (augmentation du nombre annuel de repos complémentaire, assouplissement des règles de la répartition de la durée du travail et des repos, etc.)

3 **Un seul agent de conduite sur les trains de marchandises.** A partir de lundi, sur la ligne de Paris-Marseille, les trains de marchandises seront dirigés par un seul conducteur, sans agent d'accompagnement. Cette pratique sera progressivement étendue sur les grandes artères du réseau au fur et à mesure de la mise en place d'une liaison radio sur toutes les motrices entre les mécaniciens et les organismes de régulation de la circulation.

Cette mesure en application depuis longtemps pour le trafic voyageurs et qui, de l'avis même de nombreux syndicalistes ne pose pas de problème de sécurité, rencontre l'opposition farouche de la C.G.T. et de la C.F.D.T. Elles demandent purement et simplement l'annulation de cette décision, qui supprimerait, selon elles, 10.000 emplois.

4 **Droit syndical.** Les délégués C.G.T. et C.F.D.T. de la S.N.C.F. tiennent de plus en plus souvent des réunions syndicales pendant les heures et sur les lieux de travail en espérant ainsi que le droit rejoindra bientôt le fait accompli. La direction est amenée à réagir et donc à sanctionner des délégués pour ces actes encore non reconnus par le règlement en vigueur. Là aussi donc le contentieux s'élargit chaque jour.

Cette grève des roulants pourrait prendre fin mercredi matin avec le préavis déposé par la F.G.A.A.C. Mais, rien n'est sûr la concurrence est vive entre les syndicats de roulants et la surenchère est possible. En effet, une certaine anarchie est prévisible dans la mesure où, pour la première fois, la C.G.T. a décidé de laisser le personnel des dépôts décider lui-même de la reconduction de la grève chaque jour comme le pratique la C.F.D.T. depuis longtemps.

Bernard Petit-Jean.

---

12 janvier

CATÉGORIE	SALAIRE (1)	AGE DE LA RETRAITE
PERSONNEL SÉDENTAIRE		
— Manœuvre à l'embauche	2.940	55 ans
— Ouvrier qualifié à l'embauche	3.480	
— Agent de maîtrise : 20 ans d'ancienneté	6.015	
PERSONNEL ROULANT		
— Contrôleur débutant	3.280	55 ans
fin carrière	5.330	
— Conducteur débutant	5.260	
10 ans ancienneté	6.350	
fin de carrière	7.540	50 ans

(1) : 1/12 du salaire annuel brut, primes comprises.
(Sources : Direction de la S.N.C.F.)

Vocabulary

reconduire to extend
se chevaucher to overlap
un cheminot railwayman
une répartition division
une surenchère higher bid

In other words

Find phrases in the article.which mean the following:

les passagers de la SNCF
le trafic de la SNCF ne sera pas assuré
à cause des grèves
la plus grande partie des agents de conduite appartiennent à la CGT
des grèves tournantes
ce sera pire lundi, le point culminant de la grève
des trains à l'appel
aucun départ pour Saint-Lazare et Montparnasse

In your own words

1 Nommez tous les syndicats qui participent à la grève.
2 Pourquoi le trafic sera-t-il particulièrement réduit le lundi et probablement le mardi?
3 Quelle circonstance a été spécialement prise en considération pour le dimanche?
4 Quelles conditions de travail sont améliorées par l'arrêté du 8 août?
5 A quelle décision se sont opposées la CGT et la CFDT?
6 Quand finira la grève?

Pay and conditions

The following are words and phrases which might be used in connection with an industrial dispute. Explain why the following demands are being made by the unions. Here is an example:

les salaires   Ils demandent des négotiations sur les salaires parce qu'ils
                      veulent gagner davantage.

âge de la retraite
la garantie du pouvoir d'achat/indice des prix
amélioration des conditions de travail
réduction de la durée du travail
opposition à l'emploi d'un seul agent dans les trains

Reporting

Imagine you have dialled the number mentioned in the France-Inter recording. Now ask for the following information:

You want to get to Lyon either tonight (Saturday) or tomorrow. Ask if there are any trains. Say that you can't leave tonight before 7.30 pm or tomorrow later than 11 am. You also want to know if the strike action is likely to continue early next week as you have to be back in Paris on Tuesday night.

Traversée record de l'Atlantique

Vocabulary

renvoyer l'ascenseur to give tit for tat, *here* make light of
un plaisancier pleasure boat
arrimer to stow
un vent de travers crosswinds
un noroît north-west wind, nor'wester

Answer the following questions in English

1 How does the Sunday Times describe Eric Tabarly's achievement?
2 What does Tabarly say about the prize?
3 Describe Tabarly's arrival at La-Trinité-sur-Mer.
4 What sort of winds did they have during the first half of the voyage?
5 How did these winds favour his boat, the 'Paul Ricard'?
6 What were the conditions during the second half of the crossing?
7 How does Tabarly look upon his record?
8 What very fast speed was recorded during the trip?

Déjà des aspirants au record de Tabarly

Il était 9 h 30, hier matin, lorsque l'étrange libellule d'aluminium griffant l'eau du bout de ses lames argentées fit son entrée dans le chenal de la Trinité-sur-Mer. Rasant les bouées d'un port qu'il connaît depuis l'enfance, Eric Tabarly, attentif, imperturbable, cachait son émotion sous ses silences : la France en vacances faisait à son héros un accueil de triomphe. Plus d'un millier de bateaux avaient pris la mer, de la vedette à la planche à voile, par dizaines de milliers les admirateurs s'étaient massés sur les quais. Les femmes pleuraient, les enfants trépignaient d'agitation. Les pontons flottants coulaient sous le poids de la foule. Un ministre se mouillait : c'était Christian Bonnet, venu en voisin féliciter le navigateur.

SAINT-MALO :
Jean-Michel BARRAULT

Interviewé par « Europe 1 », brillant organisateur de l'opération, Eric Tabarly, toujours aussi peu disert, hésitait longuement avant de déclarer : « *Il n'y a rien à dire.* » Il avait raison. Aucun commentaire n'est nécessaire. Le record de l'Atlantique existait depuis trois quarts de siècle. Ceux qui, au cours des dernières années ont tenté de le battre se sont empêtrés dans les calmes, ont fui devant la tempête, ont chaviré, coulé, perdu leur navire. Puis Tabarly est venu, il a amélioré de quelque quarante-sept heures le record imbattable. Un peu comme le sauteur qui d'un seul coup améliorerait de 20 cm le record du monde. Pourquoi ? Parce que Tabarly est le meilleur. Certes. Il a lui-même conçu un bateau étonnant, il en a surveillé la construction, il en connaît les possibilités et les limites, il a su s'entourer de deux équipiers adroits, et il a mené son bateau sans avarie majeure. Et il a précisé au micro de Philippe Gildas : « *L'important c'est de ne pas avoir de malchance.* » Il n'empêche : « *L'Atlantique à 12 nœuds de moyenne signifie bien plus que l'absence de malchance* », nous a expliqué le cameraman de TF 1, Dominique Pipat, embarqué pour la traversée et qui a réussi l'exploit de projeter dès 13 heures. A la vue des images qu'il a prises, nous avons compris.

Dès le départ, un spinaker se déchire. Il n'en reste plus que deux. Eric ne renonce pas. Nous avons vu ces images étonnantes de l'engin fonçant dans la brume, percutant la mer, les vagues balayant le pont, l'écume jaillissant des flotteurs au point que Tabarly et ses équipiers, Eric Bourhis, robuste marin de Concarneau, et Georges Calvet devaient se protéger les yeux par des lunettes de plongée pour parvenir à barrer au milieu des gifles d'embrun.

Malgré son épaule blessée, Tabarly manœuvrait toujours sur la brèche jusqu'au moment où une vague éclatant sur l'étrave le projeta contre la structure métallique ravivant la douleur de son épaule. « *Mais*, annonçait Eric Tabarly, *je serai au départ le 18 octobre de la course La Baule-Dakar.* »

Dix jours, cinq heures, quatorze minutes, vingt secondes, le nouveau record paraît imbattable. Pourtant, au moment même où le trimaran « Paul Ricard » doublait le cap Lizard terme du voyage, je me trouvais à bord d'un autre voilier dont le barreur, Alain Gliksman, me disait : « *J'ai vu naviguer le bateau de Tabarly, le mien va plus vite.* » Il est vrai que nous filions alors 20 nœuds, sans heurt, sur la mer du Nord. Le bateau, au printemps prochain, tentera de battre le nouveau record. Peut-il y parvenir ?

Vocabulary

une libellule dragonfly
un chenal channel
une bouée buoy
trépigner to jig up and down
peu disert not very talkative
s'empêtrer dans les calmes to be becalmed
chavirer to capsize
une avarie damage
un flotteur float
barrer to steer
embrun spray
sur la brèche on the go
une étrave bow
un barreur helmsman
sans heurt smoothly

Prior to departure

How was Eric Tabarly able to beat the record?
He must have had good qualities and he must have prepared for his voyage very carefully. List these qualities and his preparations. Here are a couple of items to start you off:

attentif   conception d'un bateau étonnant

In your own words

1 Pourquoi est-ce que l'auteur de l'article parle du record battu par Eric Tabarly comme d'un 'record imbattable'?
2 Selon Eric Tabarly, quelle est l'importance de la chance dans les voyages de ce genre?
3 Quel désastre est survenu au début du voyage?
4 Comment l'épaule du navigateur va-t-elle maintenant?
5 Que pense Alain Gliksman du record de Tabarly?

Just for the record

Find in the Figaro article the French expressions for the following:

improve on (beat) the record by
the world record
beat the record
the new record

Now make up a short narrative which includes all four of the French expressions.

Reporting

You are a journalist awaiting the arrival of Eric Tabarly at the port of La-Trinité-sur-Mer. While you are waiting, you prepare the questions you are going to put to him. Include the following items:

accueil à La-Trinité
ses émotions
le bateau
nouveau record imbattable
prix offert par Sunday Times
conditions
vents
malchance/hasard (importance de)
spinnaker déchiré
l'avenir

15

Boulogne: le conflit du poisson

Vocabulary

les armateurs shipowners
la gare des marées the name given to the fish wharf at Boulogne
les arêtes bones (of fish)
par gaîté de cœur light heartedly
un cap difficile difficult period
dégagé got going, got moving
une locomotive locomotive, *ie* enterprise

Answer the following questions in English

1 What events have taken place this morning?
2 What joke is made by the announcer?
3 Why are the fishermen taking this action?
4 Who is supporting the action?
5 Why does Guy Lengagne claim that the fishermen are not on strike?
6 Describe the importance of the Boulogne fishing industry.
7 What must the government do?
8 Why is it important that the government act quickly?
9 What axiom is drawn at the end of the extract?

11 août

Quatorze heures par jour

Les chalutiers boulonnais de pêche industrielle (50 à 55 mètres, 1.800 chevaux) effectuent dans l'année vingt-deux voyages, ou marées, de onze ou douze jours et rapportent à chaque fois cent tonnes de poissons environ. Le voyage comprend un transit vers les lieux de pêche (deux jours), la pêche proprement dite et le retour.

L'équipage se compose de vingt-deux hommes : un patron, un chef, trois hommes aux machines, un cuisiner, un radio, un lieutenant de pêche et quatorze matelots.

Pendant les transits, la durée quotidienne du travail est de huit heures ; en revanche, il n'y a plus d'horaire dès que le bateau est en pêche : on travaille vingt-quatre heures sur vingt-quatre avec, à tour de rôle, deux arrêts de trois heures environ pour se reposer, tout habillé, sur une couchette.

Un voyage de onze jours se solde donc par cent soixante heures de travail environ, soit quatorze heures par jour en moyenne effectuées dans des conditions difficiles : froid, humidité, tangage, roulis, fatigue, solitude. Entre chaque voyage, l'équipage dispose de deux jours et demi à terre, « pour dormir dans des draps », disent les marins.

A Boulogne, les pêcheurs sont payés au pourcentage avec un minimum garanti. L'an dernier, le revenu annuel des matelots ayant effectué les vingt-deux voyages a été compris entre 61.288 et 99.531 francs ; celui des patrons de pêche, tenu secret, est environ quatre fois plus élevé. « Nous gagnons sans doute plus qu'un ouvrier à terre mais nous faisons deux fois plus d'heures que lui dans l'année, affirmait hier un groupe de marins. Non, nos enfants ne seront pas pêcheurs ; c'est trop dur et ce serait une punition. » Et un autre d'ajouter : « A nos enfants, on leur dit : si vous ne travaillez pas bien à l'école, vous mettrez les bottes. »

P. K.

Boulogne-sur-Mer :

Le conflit entre armateurs et marins dans l'impasse

De notre envoyé
spécial :
Pierre KERLOUÉGAN

On ne sait pourquoi mais dans chaque conflit social qui s'amplifie, on aborde toujours une nouvelle semaine avec l'impression ou l'espoir que ce sera la dernière, que la solution va poindre, bref que l'on s'apprête à vivre des jours décisifs. Eh bien, à Boulogne, c'est loin d'être le cas. Un marin donne le ton lorsqu'il demande : « Qui accepterait des réductions d'effectifs alors que les journées sont déjà de seize ou dix-huit heures ? Qui accepterait de réduire son salaire pour payer le carburant de son entreprise ? »

Car toute l'affaire trouve son origine dans le pétrole. Remontons aux premiers jours de 1975, quand le prix du carburant double brutalement pour les armateurs. C'est le début d'une douloureuse escalade qui, après un ralentissement il y a deux ans, est repartie de plus belle l'année dernière. « Avant 1973, le combustible représentait à peu près 9 % de notre coût d'exploitation, explique Jean-Baptiste Delpierre, président du Syndicat des armateurs. Il est passé à 18 % en 1975 et atteint aujourd'hui 28 % alors que l'aide de l'État au carburant, décidée il y a

cinq ans, reste toujours fixée à dix centimes par litre. »

A ce triplement du prix — et le chalutier est gourmand : 1,8 million de litres par an — est venue s'ajouter, en 1977, l'interdiction totale de la pêche au hareng en mer du Nord.

Résultat : Boulogne perd chaque année près de trente mille tonnes de harengs. Avec, par an, 110.000 tonnes de poissons débarquées, c'est encore le premier port de pêche français.

Alors, que faire pour sortir de la crise ?

Augmenter le prix du poisson ? « Impossible, répond un armateur. A la criée, nous ne vendons pas notre poisson, on nous l'achète. Et son prix ne progresse que de 8 à 9 % par an, soit moins que la hausse du coût de la vie et beaucoup moins que celle du prix de vente du poisson au détail. » Il ne reste donc plus qu'à réaliser des économies — il faut parvenir à 450.000 francs par bateau — sur les deux seuls postes où cela est possible : les dépenses d'équipage (les plus lourdes avec 40 % du coût d'exploitation) et le carburant.

Vocabulary

le tangage pitching
le roulis rolling
mettre les bottes to put on boots, *ie* work as a sea fisherman
poindre to dawn, arise
un chalutier trawler
une criée auction
le prix de vente au détail retail selling price

In other words

Find phrases in either of the two articles which mean the following:

le conflit se durcit
commencer une semaine
plus mal que jamais
ce qu'il faut dépenser pour attraper le poisson
les bateaux de pêche utilisent beaucoup de carburant
les bateaux de pêche de Boulogne
ce qu'un pêcheur gagne chaque année

In your own words

1 Comment ce conflit entre armateurs et marins diffère-t-il des autres conflits sociaux?
2 Pourquoi les marins-pêcheurs refusent-ils une réduction des équipages?
3 Quelle est la cause fondamentale du problème?
4 Pourquoi l'aide financière de l'état ne suffit-elle pas?
5 Qu'est-ce qui s'est passé en 1977 pour aggraver la situation?

Fishing

Explain in French, the meaning of the following words and phrases from the articles and tape:

la pêche industrielle
un marin-pêcheur
une criée
un lieu de pêche
un équipage
un armateur

Reporting

Imagine you are a trawler fisherman. Explain why you would not want your child to become one as well. Include the following points:

loin de la famille
horaires
humidité
froid
tangage/roulis
fatigue
solitude
manque de confort

16

La forêt qui flambe

Vocabulary

la garrigue sparse vegetation, bush
un avion canadair (see photo)
les effectifs manpower (military)
un foyer site (of conflagration)
prendre le mors aux dents to take the bit between the teeth
les ayants-droit rightful owners
un arrêté decree (by-law)
les apports contribution
CRS special police riot squad
le Lubéron mountain area in Provence
l'écobuage burning of brushwood
un tesson de bouteille broken bottle end

Answer the following questions in English

12 août

1 What disaster is announced?
2 What are the consequences?
3 What measures are being taken?
4 What has happened in Corsica?
5 Why is the event suspicious?

15 août (13 heures)

6 Why is the situation still dangerous?
7 What is the extent of the damage so far?
8 What further measures have now been taken?
9 Why should these not really be necessary?
10 Who is excluded from the measures taken?
11 How are they being enforced?
12 How are they justified?

15 août (19 heures)

13 What is the most tragic result of the fire? Give details.
14 What, again, has given rise to suspicion?
15 What is one possible explanation for these acts?
16 Describe how a fire can start.
17 What advice is given?

Midi : l'alerte au feu

Quarante mille hectares ravagés en 1978. Plus de cinquante mille l'an dernier. La progression du fléau que représente, pour le sud, le feu semble décidément inexorable. L'été 80, hélas ! n'échappera pas au grand flamboiement. Retardé, non pas, semble-t-il, par les mesures mises en place dès le printemps mais seulement à cause des caprices du temps, l'offensive du feu se déploie en effet depuis quelques jours. Tous les départements du littoral méditerranéen sont touchés. Le feu qui s'est déclaré dans le massif du Lubéron (Vaucluse) a déjà fait, lui, un mort.

Les deux importants incendies de pinèdes, qui s'étaient déclarés dans la nuit de mardi à mercredi dans le département des Bouches-du-Rhône, en nette régression en fin d'après-midi hier et considérés comme pratiquement circonscrits en début de soirée.

Tous les sauveteurs étaient encore sur place dans la nuit au col de Lange, sur le territoire de la commune de Puges-les-Pins, et au Vallon du Président, entre les stations balnéaires de Cassis et La Ciotat. Les « canadair » ont poursuivi très tard leurs navettes entre les lieux d'écopage et les endroits sinistrés où ils déversent leur chargement d'eau. Le vent très fort qui soufflait depuis trente-six heures a commencé à faiblir, et la situation paraît stable. Il est pour l'instant très difficile de faire une estimation exacte des superficies détruites, mais on peut estimer quelles sont de l'ordre de 500 hectares. Le feu qui avait éclaté à la Fare-des-Oliviers mardi après-midi, et qui avait été circonscrit hier en début de matinée, est maintenant complètement éteint. Là aussi 500 hectares de pins, de brous-

sailles et d'oliviers ont été la proie des flammes.

Les incendies de Puges-les-Pins et du Vallon du Président paraissent suspects et seraient dus à la malveillance. A titre préventif, les services de la protection civile des Bouches-du-Rhône ont demandé à plusieurs départements d'acheminer du matériel avec leurs servants dans le département des Bouches-du-Rhône. Les engins et leurs hommes seront rassemblés dès leur arrivée et hébergés à une vingtaine de kilomètres de Marseille.

Toujours hier, dans l'après-midi, un incendie important s'est déclaré dans le massif du Lubéron, au nord de Mérindol (Vaucluse), et progressait rapidement dans la végétation très sèche sous l'action du mistral soufflant en rafales. Des moyens importants en hommes et en matériel ont été envoyés sur place pour lutter contre les flammes, avec l'aide des « canadairs ». En début de soirée la préfecture du Vaucluse faisait état d'un mort. Le corps aurait été retrouvé par les pompiers près d'une résidence secondaire brûlée par l'in-

cendie.

L'incendie de Mérindol continuait à s'étendre tard dans la nuit.

Tard dans la nuit également les pompiers n'avaient toujours pas maîtrisé l'important sinistre qui s'est déclaré hier après-midi à la limite des départements des Alpes-Maritimes et du Var dans le massif du Tanneron, où près de cent hectares ont déjà été la proie des flammes.

La Corse a payé elle aussi hier un lourd tribut au feu. Deux secteurs ont été plus particulièrement touchés, et essentiellement la Balagne (Haute Corse) où 4.000 hectares ont été la proie des flammes. Trois bergeries, 15.000 oliviers ont été ainsi brûlés. Trois maisons ont été léchées par les flammes.

Vacanciers sans abri

A Porto-Vecchio (Corse du Sud) un camping de naturistes a été partiellement dévasté. Dix campings-cars et 170 tentes ont été détruits. Cinq cents vacanciers sont sans abri et l'armée s'emploie à leur fournir des tentes et de la nourriture.

Hier en fin de journée les sauveteurs (pompiers, militaires, « canadairs ») étaient venus à bout de la plupart des foyers, dont deux s'étaient déclarés dans la région d'Ajaccio en début de matinée, mais ils n'ont pas présenté de danger pour les habitations.

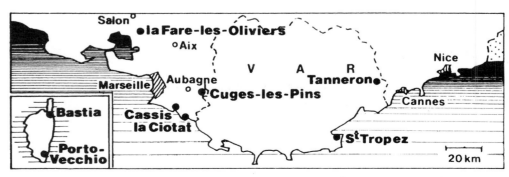

En gras, les principaux foyers d'incendie.

Midi : alerte au feu

Alerte générale au feu dans le Midi méditerranéen et en Corse. Depuis quarante-huit heures, les foyers d'incendie criminels ou accidentels se multiplient. Le temps sec favorise les risques d'incendie.

Plus de 1.000 hectares ont été, hier, la proie des flammes dans le département des Bouches-du-Rhône. En début de soirée, les foyers du col de Lange, sur le territoire de la commune du Puges-les-Pins, et ceux du vallon du Président, entre La Ciotat et Cassis, étaient pratiquement circonscrits. En revanche, les feux qui ont pris dans le massif de Tanneron, à la limite des Alpes-Maritimes et du Var, et dans le massif du Lubéron (Vaucluse), continuaient à s'étendre. On déplore un mort dans le Lubéron.

D'autres foyers de moindre importance ont été signalés tout au long de la journée entre la frontière italienne et Marseille, notamment dans la région de Saint-Tropez.

Les services de protection civile de la Drôme, de la Savoie, de l'Aveyron, de la Haute-Savoie, de l'Ariège et de l'Ardèche ont envoyé des renforts sur le littoral. Tous les Canadairs disponibles ont exécuté rotation sur rotation, tout au long de la journée (notre photo).

En Corse, la situation est encore plus grave. Cinq mille hectares ont été détruits hier dans la Balagne (Haute-Corse) et près de Porto-Vecchio. De nombreux vacanciers ont dû être évacués. En fin de soirée, la plupart des foyers avaient été maîtrisés, mais le vent qui soufflait inquiétait les sauveteurs.

Vocabulary

un fléau scourge
sinistré damaged
la superficie amount of land
à titre préventif as a preventive measure
le mistral a violent wind affecting the south-eastern coastal areas of France
une rafale gust
faire état de to count

In other words

The following phrases are from the radio broadcast. Find phrases in the newspaper articles which have a similar meaning:

la période chaude
l'incendie a fait un mort
l'œuvre d'un ou plusieurs pyromanes
pas dûs uniquement à des causes naturelles
les foyers ont été maîtrisés
dénoncer les incendiaires
le vent souffle à 80 à l'heure

In your own words

1 Quel rôle jouaient les 'canadairs' dans la lutte contre les incendies?
2 Qu'est-ce que l'incendie a détruit à Fare-des-Oliviers?
3 Quel secours a été donné au département des Bouches-du-Rhône par des autres départements?
4 Quels effets ont été soufferts par des vacanciers en Corse?
5 Décrivez la situation en Corse à la fin de la journée.

Role play

The fire-fighting teams are hard at work and a policeman is asking you for information.

GENDARME: A quelle heure avez-vous remarqué les premières flammes?
VOUS: *Say that it was about 40 minutes ago. That was at 4.20. It happened so suddenly. The fire started in two places at the same time. It spread quickly because everywhere is so dry.*
GENDARME: Et savez-vous comment cet incendie a été provoqué?
VOUS: *Say that you don't know exactly. You did see a couple of men behaving in a suspicious way a few minutes before the fire started. Of course, it could have been a piece of broken bottle which concentrated the rays of the sun.*
GENDARME: Ces deux hommes mystérieux, où sont-ils maintenant?
VOUS: *Say that you don't know as you had to run to find a phone. Say that they must have left.*
GENDARME: Merci M./Mlle. Mais est-ce que vous avez entendu les consignes données à la radio vis-à-vis des bois et des forêts?
VOUS: *Say yes. Apparently from tomorrow it will be prohibited to drive or stop in this part of the forest.*
GENDARME: Voilà, c'est parfait. Merci et au revoir.

Tapescript

Vacances 1980 – bouchons records

Bison Futé commence à se faire des cheveux blancs. Il commence à penser aux noires journées des départs en vacances et l'été, c'est pour la fin du mois. Pas de chance, le calendrier a mal fait les choses et les départs vont coïncider avec les weekends. L'an dernier, et c'était une année faste, il y a eu tout de même 835.000 heures de bouchons. Sachez qu'une heure de bouchons coûte deux litres d'essence par voiture sans compter l'énervement et l'agressivité des conducteurs. Le plus mauvais jour ce sera sans conteste le samedi 2 août. Quand il y pense, Joël Le Theule, le ministre des transports, a des sueurs froides.

''Nous avons cette année une série de ponts qui coïncident avec les principaux mouvements migratoires non seulement français mais européens et nous risquons de retrouver certains jours la situation que nous avons connue en 1975 où à un moment donné, je crois que c'était le 2 août à onze heures du matin, il y avait en France 600 kilomètres de bouchons. Alors, depuis six ans, nous avons beaucoup travaillé. Nous avons amélioré les réseaux routiers mais cela n'empêche que du fait de l'augmentation du trafic, il y a des dates où il faudra absolument éviter de circuler. Le weekend le plus mauvais, donc celui où il faut être le plus prudent, est celui du 1er au 3 août. Le samedi 2 août sera vraiment pour les automobilistes le jour où je leur demande de rester chez eux et de suivre les conseils qui leur seront donnés par la radio.''

Effectivement ce jour-là vous aurez intérêt à rester à l'écoute de France-Inter. Je ne sais pas si c'est pour vous dissuader de partir en vacances mais Joël Le Theule a également annoncé aujourd'hui une augmentation du tarif des péages sur les autoroutes de 3½% à 12% selon les cas. Il a également annoncé que les codes seraient maintenus en ville la nuit au moins jusqu'à la fin de l'année; enfin, et c'est un retour aux vacances, un effort considérable a été fait en ce qui concerne les itinéraires de délestage. 11.500 kilomètres seront fléchés en vert, toujours, bien sûr, pour éviter les bouchons.

Campings surchargés en France

Les Français sont de plus en plus nombreux à choisir le camping comme formule de vacances et cette année le département du Var connaît une affluence record. Il y a 300.000 campeurs pour seulement 170.000 places de camping. Devant cette situation le préfet du Var vient de prendre des mesures exceptionnelles. Alors Jacqueline Vauclaire, que faut-il faire si on se trouve par hasard à la porte?

''Tout d'abord, sachez que le préfet du Var vient de permettre aux gérants de terrains de camping d'accueillir plus de campeurs qu'ils ne sont habituellement autorisés à le faire. Les prix dans ces terrains de camping ne seront pas, pour autant, diminués et, conséquence directe du surnombre de la population, les conditions de confort pendant votre séjour seront moins agréables. Pour vous aider, cependant, à trouver un endroit pour installer votre tente ou votre caravane, la préfecture du Var a lancé une opération 'camping guidage'. Cinq services de renseignements fonctionnent dans la région; trois sur le littoral et deux dans l'arrière-pays. En appelant les deux numéros suivants: 56 38 77 et 56 32 99, indicatif 94, on vous indiquera où vous pourrez encore trouver une place. N'espérez pas trop vous installer au bord du littoral, mais plutôt à 50 kilomètres de la mer et particulièrement dans les campings à la ferme. Et puis, contraste avec les côtes méditerranéennes, je vous signale que les campings des côtes normandes et bretonnes sont beaucoup moins envahis et que René Chaboul nous prédit que les températures dans ces régions seront plutôt agréables en août.''

Le pape à Paris

79% des Français éprouvent de la sympathie pour Jean-Paul II. C'est un sondage du journal 'La Croix' qui le dit. Le pape s'apprête à quitter en ce moment même le Vatican en hélicoptère pour l'aéroport Léonard de Vinci à Rome d'où son avion spécial doit s'envoler vers Paris aux environs de 14 heures. L'airbus d'Alitalia s'immobilisera devant l'aérogare d'honneur d'Orly à 16 heures — simple escale — puisque l'accueil officiel aura lieu à 16 heures 20 au rond point des Champs Elysées que le pape gagnera en hélicoptère. Yves Loizeau, vous êtes déjà au bas des Champs Elysées, je pense que tous les préparatifs sont terminés. Est-ce qu'il y a déjà du monde?

''Il y a déjà effectivement un peu de monde ici. Des gens qui sont venus avec des pliants, qui sont venus avec des sacs contenant des sandwichs qui circulent pour l'instant. Il y a encore peu de monde, je vous le dis, mais les gens arrivent tout de même assez nombreux. Il y a même un certain nombre de vendeurs qui se déplacent sur le trottoir avec des drapeaux français et des drapeaux aux couleurs du vatican: jaunes et blancs. Ici il y a le soleil et tout à fait au fond, sous l'Arc de Triomphe, il y a un énorme drapeau français. Ici tout le monde attend le pape donc la circulation est déjà interdite à tous véhicules. Les gens ne sont pas vraiment des badauds. Certains pique-niquent même sur les bancs tout proches, sous les arbres. Il y a du soleil et beaucoup de drapeaux tout le long de l'avenue. Voilà tout ce qu'on peut dire pour l'instant.''

Merci. Après cet accueil officiel le pape gagnera en voiture Notre Dame par le Boulevard Saint Germain tandis que le président de la République et les membres du gouvernement gagneront la cathédrale par un autre parcours, un autre chemin, ainsi le veut le protocole pontifical. Jérôme Moraldi, vous êtes déjà sur ce parcours du Boulevard Saint Germain.

''Pas beaucoup de monde dans les rues et c'est normal, le pape ne va passer par le boulevard que dans quatre ou cinq heures mais déjà tout est presque prêt pour le passage du cortège. Des kilomètres de barrières bien alignées le long du passage. Toutes les voitures en stationnement ont été enlevées; les fourrières sont archipleines. Depuis ce matin des dizaines d'équipes de la municipalité de Paris enlèvent les affiches sauvages ou effacent les graffitis sur les murs. Les égoutiers et des policiers ont visité et pris position dans les égouts. Ils y resteront toute la journée. Les pompiers seront bientôt sur les toits pendant qu'à l'extérieur tous les bâtiments publics et les banques et même certains magasins ont sorti des drapeaux. Il y a même sur beaucoup de balcons des draps ou des fleurs jaunes et blanches, les couleurs du vatican. J'ai vu une banderole souhaitant en polonais: 'bienvenue au pape'. La palme revient naturellement à la librairie polonaise près de Saint Germain des Près: sur la devanture, tous les livres consacrés à Jean-Paul II, il y en a déjà 14, y compris ses poèmes en français et

en polonais. Détail pratique: évitez le quartier Saint Germain dès maintenant si vous êtes en voiture et sachez que les terrasses des cafés seront fermées cet après-midi, il faut faire de la place pour la foule. La règle est valable y compris pour Le Flore, La Brasserie Lipp ou les Deux Magots.''

A Notre Dame après le Te Deum dans la cathédrale, le pape dira sa première messe sur le parvis. L'accès au parvis n'est pas public, Christian Bilmann, et je crois que d'importants travaux ont été faits devant Notre Dame de Paris.

''Oui, absolument, c'est une cérémonie qui, comme vous dites, n'est pas ouverte à tout le monde pour une raison très simple, d'ailleurs, c'est que le parvis de Notre Dame peut recevoir au maximum, on a estimé, 20.000 personnes. Alors, ce qu'on a fait, ça a été donc d'envoyer des cartes d'invitation. A qui? Eh bien. Au gouvernement, bien sûr, au président de la République, aux députés et puis chaque paroisse de Paris et de ses environs a reçu une trentaine de cartes qu'elle devrait distribuer parmi ses ouailles. Donc un public très sélectionné. Alors on en est, vous l'avez dit, aux derniers préparatifs ici; c'est un peu la fièvre parce qu'à la dernière minute il y a toujours un tapis qui ne veut pas rester tendu ou bien une frange qui ne veut pas tenir accrochée. Mais enfin on est presque prêt. Un immense podium de cinq mètres de haut a été dressé devant les trois portails de Notre Dame. Il est recouvert de moquette rouge et il est surmonté d'un très grand dais carré tout blanc que coiffe une simple croix de bois. Tout semble parfaitement au point pour le moment et pourtant, il faut dire que ce n'était pas simple: la messe étant dehors, vous le savez, mais l'orgue de Notre Dame, bien sûr, à l'intérieur, de même, d'ailleurs, qu'une partie des 2.500 choristes qui vont participer à cette cérémonie. Il a donc fallu installer un circuit intérieur de télévision pour que l'organiste, qui n'est autre que Pierre Cochereau, et les deux maîtres de chapelle puissent se voir et évidemment puissent se suivre.''

Bien, merci Christian. Après cette cérémonie religieuse Jean-Paul II se rendra à l'Hôtel de Ville où Jacques Chirac, le maire de Paris l'accueillera et le pape s'adressera ensuite d'un podium au peuple de Paris. Et vous pourrez voir le pape sur les différents trajets qu'il empruntera, notamment aux Champs Elysées, je parle d'aujourd'hui bien sûr, sur les quais de la Seine qu'il remontera à bord de la vedette Sainte Geneviève et les quais seront illuminés, Place de l'Hôtel de Ville mais, encore une fois un conseil: rendez-vous à pied dans ces différents points de Paris, cela sera beaucoup plus pratique pour vous.

Vol de bijoux à Cannes

A Cannes c'est le nouveau casse du siècle dont on parle aujourd'hui. Enfoncés, Albert Spaggiari, ses égoutiers et ses 6 milliards de centimes dérobés à la Société Générale de Nice. En moins d'une heure, mercredi soir, les auteurs du fric-frac de la Villa Giulia sur les hauteurs de Cannes, résidence d'été du prince Abdel Aziz Ahmed Al Thani, fils de l'ancien émir du Qatar, ont battu un record, 80 millions de francs de bijoux et un peu de menue monnaie (500.000 francs en espèces). Aucune trace, aucun indice, aucun témoin, les enquêteurs sont perplexes. La police judiciaire de Nice s'est orientée dans un premier temps vers l'entourage du prince Al Thani. Le gardien de la villa de nationalité tunisienne a été gardé à vue. Il a été encore entendu ce matin mais il ne semble pas qu'il soit compromis. Sur place l'enquête de notre envoyé spécial Philippe Réale:

''La vie continue à Cannes et les très nombreux touristes sur La Croisette et la plage ne semblaient pas outre mesure troublés par ce qui était arrivé à un vague prince du Qatar. Côté enquête, vous savez que l'on a relâché le seul témoin, si l'on peut dire, car il n'a rien vu et rien entendu du fric-frac. Les enquêteurs de la P.J. de Nice sont donc déçus et ils sont au point mort, ce soir, en ce qui concerne cette enquête. Du côté du prince, je me suis rendu une nouvelle fois à la Villa Giulia dans l'espoir de le rencontrer. Peine perdue. Le prince n'a rien à dire. Il s'est, du reste, baigné tout l'après-midi dans sa piscine car il fait très chaud à Cannes. Le directeur d'un des plus grands palaces de la ville, à qui je parlais de l'affaire, m'a dit: 'Vous savez, le prince a sans doute été un peu agacé par ce vol mais il ne veut surtout pas être dérangé dans ses habitudes, je le connais bien, pour lui 8 milliards de centimes n'a absolument pas la même signification que pour nous'.''

Voilà, je vous le disais, la vie continue à Cannes comme si rien d'extraordinaire ne s'était passé.

L'extrême droite dans la capitale

26 juin

J'apprends à l'instant qu'un attentat non encore revendiqué a eu lieu il y a environ une demi-heure contre le siège du MRAP — c'est le Mouvement contre le fascisme et pour l'amitié des peuples. C'est un mouvement qui se situe Rue Saint-Denis dans le deuxième arrondissement. Il n'y a pas de blessés mais les dégâts sont, paraît-il, importants.

Premier juillet

Opération coup de poing contre l'extrême droite au petit jour dans la région parisienne. Les inspecteurs de la brigade criminelle ont tiré du lit onze militants de la FANE (Fédération d'action nationale européenne), et du MNR (Mouvement nationaliste révolutionnaire). Les onze jeunes gens sont gardés à vue et interrogés au Quai des Orfèvres. On les soupçonne d'avoir trempé dans trois attentats. Le dernier en date dans la nuit de lundi à mardi contre la boutique du modiste parisien Daniel Hechter. Rien ne prouve que les onze suspects soient bien les vrais coupables, pourtant, Jérôme Moraldi, il y a bel et bien des nostalgiques du Nazisme qui se promènent en toute liberté à Paris:

''Dans le dixième arrondissement, du côté du quartier Sainte Marthe ils sont même très présents. Des croix gammées à la peinture sur tous les panneaux; leur sigle: une roue et trois flèches sur les murs et les baraques. Des slogans aussi: sur les vitrines de ce coiffeur juif: 'Israël doit être détruit'. Sur celle de ce cafetier marocain: 'le bon choix pour la race'. Partout ces quatre lettres FANE et des SS. Les gens du coin commencent à avoir peur. Il y a eu des vitrines cassées, des actions d'intimidation, des faux cambriolages et des débuts de bagarre même, comme le 8 mai dernier.Sur toutes les affiches appelant à la commémoration de la victoire, ce slogan: 'Hitler avait raison'. Jusqu'ici leurs plans n'ont pas abouti. On les voit pourtant tout de même, quelquefois, ces jeunes gens, en uniforme noir ou en chemise grise. Ils chantent très fort des chansons allemandes. Ils sont bottés et armés. Rien ne dit, d'ailleurs, que les onze militants arrêtés soient bien ceux qui ont plastiqué le MRAP et le magasin Daniel Hechter. La façon trop évidente de signer ces actes a quelque chose de louche. La ficelle est un peu trop grosse. Les policiers eux-mêmes pensent qu'il pourrait s'agir d'une provocation.''

En tout cas le MRAP, précédente victime, donc, des militants d'extrême droite, demande la dissolution des mouvements néo-nazis.

Exposition universelle en l'an 2000

Une exposition universelle en l'an 2000 dans la région parisienne — voilà ce qu'a indiqué le président de la République aujourd'hui en recevant les représentants du conseil régional et du comité économique et social de l'Ile de France. Le chef de l'état a défini un objectif: faire de l'Ile de France d'ici à la fin du siècle, la grande métropole économique, culturelle et politique européenne. Auparavant il faudra résoudre les problèmes spécifiques de la région parisienne: trop d'emplois dans le centre et des logements trop dispersés dans la periphérie de la capitale; des transports en commun en constant déficit et enfin des inégalités un peu trop criantes entre les quartiers bourgeois et les banlieues pauvres. Le président de la république a ensuite defini ce qu'il a appelé les trois horizons de l'Ile de France: 1985, terminer le super-périphérique pour décongestionner Paris; 1990, achever l'aménagement et l'équipement des villes nouvelles. Enfin, troisième horizon, l'an 2000.

Les motards

Malgré le casque obligatoire et le nouveau permis, l'hécatombe continue chez les motards. En six mois le nombre des accidents de deux roues a augmenté de moitié, au point que la moto est devenue la principale cause de mortalité chez les jeunes. Les chiffres, hélas, parlent d'eux-mêmes. Chaque année les accidents de deux roues font plus de 110.000 victimes. 3.000 d'entres elles succombent à leurs blessures. Un tué sur trois a moins de vingt ans; six accidents sur dix ont lieu à des croisements ou des carrefours; les deux roues sont cinq fois plus dangereux en ville qu'à la campagne. Enfin, un motard sans casque augmente d'un tiers ses risques d'être tué. Voilà qui donne à réfléchir. Un professionnel, le colonel de gendarmerie Maurice Chevaux, résume pour Philippe Habitboul les causes principales de cette hécatombe:

''Le plus souvent les refus de priorité sont à l'origine de très très nombreux et surtout de très graves accidents. Ce qui ne veut pas dire, d'ailleurs, que ce soit le motocycliste qui soit le seul responsable mais généralement il en subit les conséquences. Les motocyclistes dans les courants de circulation ont la fâcheuse habitude de zigzaguer entre les voitures — et vous pouvez le constater, les automobilistes ne voient pas toujours le motocycliste. Je pense également qu'il nous faut signaler, en rase campagne notamment, les vitesses excessives dans les virages. On frime, comme disent ces jeunes motocyclistes, on frime pour épater son passager, sa passagère. Lorsque la route est sèche, eh bien, très souvent c'est la chute. Alors que sur route humide on prend beaucoup moins de risques. Donc ce sont trop de risques qui sont pris; là encore le motocycliste n'est pas maître de sa vitesse, n'est pas maître de sa machine.''

Carambolage sur l'autoroute

56 morts et 472 blessés, tel était ce matin le bilan des accidents de la route du weekend. Ce bilan s'est brusquement aggravé peu avant midi. Un carambolage monstre sur l'autoroute de Normandie à la hauteur de Morainvilliers dans le sens province-Paris. 200 voitures et une trentaine de camions se sont empilés les uns sur les autres. Travaillant au chalumeau et à la scie pour découper l'amas de ferraille, les sauveteurs ont dégagé deux morts et trente blessés, certains très grièvement. Gilbert Picard, vous êtes arrivé le premier sur les lieux avec la moto de France-Inter, ce que vous avez vu dépasse l'imagination:

''Oui, imaginez d'abord le concert assourdissant des sirènes des ambulances, des voitures de pompiers qui se dépêchaient sur les lieux. En l'air un hélicoptère cherchait à se poser; et puis évoluant parmi les dizaines et les dizaines de voitures enchevêtrées, parmi certaines transformées littéralement en tas de ferraille, des médecins du SAMU, des ambulanciers, des secouristes qui essayaient de prodiguer les premiers soins à des blessés prisonniers dans les carcasses défoncées de leurs véhicules. J'ai vu un homme ensanglanté, sa voiture broyée sous un camion, qui tournait faiblement son volant pour montrer qu'il était encore vivant. Derrière lui, le chauffeur d'un poids lourd hurlait de douleur, sa jambe gauche laminée par la tôle de son camion, son pied gauche avait été arraché. Les sauveteurs essayaient de le retrouver pour qu'une greffe puisse être tentée plus tard. Sur le bord de l'autoroute, les automobilistes choqués tentaient de comprendre ce qui venait de se passer alors qu'on emportait sur des brancards les blessés; d'autres étaient soignés sur place. J'ai vu aussi un automobiliste dont la voiture avait été prise en sandwich, sortir par la portière et faire une crise de nerfs alors qu'une femme enceinte remerciait Dieu en pleurant — sa voiture avait été littéralement broyée — son mari et elle en étaient sortis indemnes. Hélas, d'autres n'ont pas eu cette chance. Deux morts sur le coup et parmi les nombreux blessés graves beaucoup se trouvaient déjà dans un coma profond et les médecins des SAMU se montraient plus que réservés sur l'issue de leur lutte contre la mort. En fin d'après-midi les grues dégageaient encore les camions, on découpait encore des tôles au chalumeau.''

Reste à comprendre les causes de cette catastrophe. Selon les premiers témoignages recueillis sur place, une voiture rouge qui n'a, d'ailleurs, pas été retrouvée, se serait arrêtée sur la file de gauche de l'autoroute; la voie la plus rapide. Le conducteur qui la suivait et qui roulait très vite s'est brusquement déporté sur la droite obligeant un poids lourd à faire un tête-à-queue. La remorque du camion s'est mise en travers de la chaussée formant un véritable mur de ferraille sur lequel sont venus s'encastrer les 200 véhicules qui suivaient. Au moment où l'accident s'est produit, le brouillard était très épais dans la vallée de la Seine; visibilité inférieure à 30 mètres. Comme toujours les gens roulaient trop vite et trop près les uns des autres. Sur 2 kms, personne n'a pu éviter la collision en chaîne. Le brouillard, bien sûr, mais il n'explique pas tout; le colonel Taratz de la gendarmerie rappelle au micro de Christian Magdelaine les élémentaires conseils de prudence lorsque l'on roule dans la purée de pois:

''Allumez les feux de croisement ou mieux les feux anti-brouillard. A ce propos, le feu arrière rouge est très efficace pour être vu et constitue une petite dépense. Ne jamais suivre une voiture de très près pour éviter d'être surpris et ralentir sa vitesse. Quand je dis ralentir sa vitesse, j'entends une vitesse très faible pouvant descendre jusqu'à 30 ou 40 kilomètres-heure. Il faut également être très prudent pour dépasser et ne pas hésiter à utiliser l'avertisseur sonore. Il faut faire fonctionner les essuie-glaces et le désembuage car le brouillard se dépose sur le pare-brise. Enfin, sur un long trajet, ne pas hésiter à s'arrêter souvent car la fatigue est sérieuse. Tout arrêt doit se faire hors des voies de circulation et, dans le cas contraire, en cas de nécessité, il faut dégager au plus vite le véhicule; bien sûr, toujours le signaler au maximum.''

Pétrole dans la Durance

Du pétrole dans un champ, ça peut être intéressant. En fait ce ne l'est pas du tout. Près de Paluds de Noves, dans les Bouches-du-Rhône, un geyser de pétrole s'est élevé dans un verger. Il s'agissait d'une rupture de l'oléoduc qui achemine le pétrole entre Fos-sur-Mer et l'Alsace. On l'appelle le pipe-line sud-européen puisqu'il conduit le brut entre le littoral méditerranéen et la région du Rhin-Supérieur avec trois canalisations principales ravitaillant ensuite six pays européens. Les services de secours et les pompiers sont intervenus pour les opérations de pompage mais il y a déjà des difficultés de

pollution notamment parce que des quantités de pétrole se sont répandues dans la rivière l'Anguillon qui se jette elle-même dans la Durance. Alors des précisions sur le PLSE ou pipe-line sud-européen avec notre correspondant régional Philippe Réale:

''Le PLSE ou pipe-line sud-européen constitue l'un des poumons stratégiques de l'Europe de l'ouest. Il alimente, par son cordon ombilical au départ de Marseille, les raffineries d'Allemagne du sud avec un terminal à Karlsruhe, l'est de la France à Strasbourg, le complexe de Feyzin près de Lyon et une bretelle qui va jusqu'en Suisse. L'hydro-carbure qu'il déverse en permanence jour et nuit revient du Moyen Orient et il est envoyé depuis le terminal de Lavera à Fos-sur-Mer. Il a près de vingt ans d'existence et il a été doublé il y a cinq ans par un autre pipe dont le point de départ est Trieste dans l'Adriatique. Les installations du PLSE sont soumises à une stricte surveillance comme tout ce qui est classifié stratégique. Que ce soit le terminal de Lavera ou celui de Karlsruhe, le pipe-line sud-européen fait l'objet tout au long de son parcours de contrôles permanents grâce à un circuit de télévision interne. L'accident de cette nuit est le second du genre dans la même région. En 1976 c'est dans la plaine de La Crau près de Miramas qu'une fuite importante a pollué les cultures. Aujourd'hui l'accident est de taille puisque entre une heure trente du matin et onze heures ce sont 15 mètres cubes par heure qui se sont écoulés sur la route, les champs et un canal à proximité du tracé, qui se jette dans la Durance. Dès 8 heures, un important dispositif était mis en place par les autorités préfectorales avec un PC opérationnel à Châteaurenard. On ignore les causes de cet accident et on en est très inquiet pour la pollution de la Durance.''

Les prévisions de météo

14 juillet

Ceux d'entre vous qui pensaient échapper à la pluie en filant vers le sud risquent d'être déçus à l'arrivée. Le mauvais temps est en train de descendre vers le midi. En revanche au nord de la Loire ça va aller un petit peu mieux. Cette amélioration sera sensible tout le long de la semaine mais pour le weekend – patatras – ce sera le retour des nuages. Jacques Koestler va nous expliquer tout ça dans les détails.

''Après avoir copieusement arrosé la moitié nord du pays, les pluies vont maintenant se diriger vers le sud. Les plus fortes pluies, souvent de caractère orageux, se produiront en Aquitaine, Midi,

Pyrénées, Massif Central, Rhône-Alpes et Jura. Les régions méditerranéennes seront également touchées dans la soirée. Dans le nord, l'ouest et le bassin parisien (toujours pour mardi) on commencera à ressentir un léger mieux. Certes, les températures resteront fraîches. Les nuages ne disparaîtront pas d'un seul coup mais des éclaircies apparaîtront. Mercredi l'amélioration va se poursuivre avec des périodes ensoleillées plus nombreuses. Seules les régions situées des Alpes à la Corse seront encore affectées par un temps nuageux et orageux. Jeudi et vendredi, prédominance du beau temps avec des températures qui devraient retrouver des valeurs normales. Nouvelle aggravation, malheureusement, pour le weekend.''

Conseils aux consommateurs

1 *Les restaurants: vos droits*

Si vous avez eu de mauvaises surprises en passant à table durant vos vacances — litige sur les prix ou carafe d'eau inexistante — écoutez bien les conseils de Jacqueline Vauclaire, ils vous seront précieux:

''Les restaurants sont divisés en trois catégories qui, toutes, doivent présenter des menus ou plats conseillés. Dans un restaurant le prix du menu est toujours fixe. Les menus comme les plats conseillés doivent être servis tous les jours sauf les dimanches et jours fériés, du début à la fin du service, à l'intérieur comme en terrasse. Si le menu est épuisé, il doit être remplacé pour le même prix. Ces prix doivent toujours être affichés: nets ou service compris. Il n'existe plus de boisson conseillée mais **chaque restaurateur doit afficher de façon visible le prix de cinq vins (les moins chers), d'une bière, d'une eau minérale et d'un café. La fameuse carafe d'eau, elle est gratuite et le restaurateur ne peut jamais vous la refuser.** En cas de litige, n'en perdez pas pour autant votre bonne humeur des vacances, mais signalez tout de même le fait au restaurateur et éventuellement à la boîte postale 5.000 ou à une association régionale de consommateurs.''

2 *Viande avariée*

Attention aux pièges de l'été, en particulier aux boutiques. Vous savez, aux petits commerces qui plantent leurs tentes uniquement pendant la saison et disparaissent au mois de septembre. Il y a quelques jours dans les Landes, on a saisi 450 kilos de viande qui n'était pas de première fraîcheur. Alors comment ne pas tomber dans le panneau: on écoute les conseils de Jacqueline Vauclaire:

''Je peux vous dire que les pouvoirs publics ont décidé de poursuivre jusqu'à la fin du mois leurs opérations de contrôle dans les stations balnéaires où les baraques à frites, pizza et merguez poussent comme des champignons le long des plages. Cela dit, les vacanciers doivent être vigilants et ne pas acheter de nourriture avariée. Avant de consommer au comptoir d'une petite baraque en bois, jetez un coup d'œil sur le local et sa propreté et s'il n'y a pas d'eau courante et pas de congélateur, n'insistez pas, vous risquez l'indigestion. N'oubliez pas que les plats préparés, les pizzas notamment, doivent être présentés sur une plaque chauffante ou sur une vitrine réfrigérée. Si les pizzas sont exposées sur un plateau en plein soleil, leur fraîcheur n'est plus garantie. Notez aussi que les coquillages doivent être vendus avec une étiquette officielle des services maritimes garantissant, là aussi, leur fraîcheur. Enfin si on vous a vendu de la nourriture avariée, n'hésitez pas à prévenir la gendarmerie la plus proche.''

La frontière espagnole bloquée

Ça va de mal en pis à la frontière franco-espagnole dans la région du Perthus. Les gardes civils n'arrivent pas à faire lever le blocus des routiers espagnols. En comptant ceux qui forment le barrage et ceux qui sont pris dedans sans distinction de nationalité, il y a bien 4.000 camions au point mort dans un rayon de 12 kilomètres. Tout ça sous un soleil de plomb. Quand on sait que la plupart des poids lourds transportent des tomates ou des poivrons, on imagine la situation sur place. Pour France-Inter, Georges Tourlet:

''Depuis ce matin un nombre important de chauffeurs routiers ont ainsi abandonné le ciel pour rentrer chez eux, soit avec leur camion en laissant la remorque et les marchandises sur place, soit carrément en autostop. Des autres, les purs et durs, ont organisé leur vie dans un village où la boisson alcoolisée est désormais interdite pour éviter tout incident. Après les bains de soleil, la partie de cartes et le repas pris dans un restaurant du coin, c'est soit le retour à la couchette du camion, soit une petite marche du côté de l'autoroute — histoire de crier quelques insultes aux milliers de policiers également desœuvrés, allongés sur l'herbe ou sur les bas-côtés, mais les fusils anti-émeute, les mitraillettes et les boucliers anti-projectiles aux pieds. Tout à l'heure, sur la route du Boulou, une tentative de barricade a d'ailleurs été méchamment dégagée. On a même pu voir policiers et gardes civils poursuivre mitraillettes au poing à travers les champs un groupe de manifestants.''

Une pagaille noire donc à la frontière franco-espagnole. Si vous n'êtes pas obligé d'y aller tant mieux pour vous; dans le cas contraire, écoutez les bons conseils de Christian Magdelaine — Inter-Route:

''Si la situation est confuse en Espagne on peut dire ce soir qu'elle l'est tout autant du côté français. Dans le sens France-Espagne la N9 est coupée au Boulou et l'autoroute catalane à Perpignan sud. Dans l'autre sens l'autoroute B9 est délestée sur la N9 mais, finalement c'est pour retomber dans les mêmes problèmes au Boulou.

Vous le voyez, tout ceci n'est pas très simple. En revanche, sur la N115 le barrage mis en place au pont de Céret a été levé peu avant 18 heures mais la circulation reste tout de même très dense dans le Col d'Ares. D'ailleurs cette route, je vous le rappelle, est interdite la nuit. Reste donc pour cette région les routes de Cerbère-Port Bou, de Bourg Madame et d'Andorre. Mais là aussi on rencontre de très gros embouteillages. Alors il ne subsiste finalement que trois solutions sans risques: Le Col du Somport, par la montagne; le passage par Hendaye-Irun vers Pamplonne avec ensuite l'autoroute qui vous ramène vers Barcelone, mais attention, cela représente un supplément très important de kilomètres. Dernière possibilité: ne pas se diriger vers l'Espagne actuellement, et c'est peut-être la solution la plus sage.''

Oui, surtout que les routiers Espagnols envisagent de maintenir leur blocus au moins jusqu'à lundi.

Grève SNCF

Vous voilà prévenus en ce qui concerne le temps. Autres prévisions: si vous devez prendre le train ce soir, demain et surtout lundi — attention! Des grèves tournantes déclenchées par la CGT et la CFDT entraîneront pas mal de perturbations sur tout le réseau. Ce sont les agents de conduite qui arrêtent le travail et ils demandent l'ouverture de négociations sur les salaires d'abord, sur les effectifs ensuite et surtout sur un programme d'avenir de la SNCF. Dès ce soir il manquera des trains à l'appel. En grandes lignes, trois départs seulement de la Gare de l'Est, six à Austerlitz, sept à la Gare de Lyon, aucun départ pour Saint-Lazare et Montparnasse. Ce ne sera guère mieux demain, dimanche; ce sera pire lundi, le point culminant de la grève et à ce propos je vous rappelle le numéro de téléphone d'Inter-Jeune pour tout

savoir sur les trains qui partent et sur ceux qui ne partent pas: le 524 14 14.

Traversée record de l'Atlantique

L'hebdomadaire britannique Sunday Times rend hommage à Eric Tabarly en écrivant aujourd'hui que le marin a ouvert un nouveau chapitre dans l'histoire de la voile. Il est vrai que Tabarly avait en quelque sorte renvoyé l'ascenseur en déclarant tout à l'heure à Trinité-Sur-Mer que le prix offert par le Sunday Times: $50.000, soit 210.000F ''a joué dans ma motivation. Si vous passez à proximité d'un paquet de billets vous vous baissez pour le ramasser; c'est ce que j'ai fait.'' Tabarly, très chaleureusement accueilli par les centaines de plaisanciers à La-Trinité-Sur-Mer, a pris tout son temps pour bien arrimer son bateau et ranger le pont et puis il a raconté à Hervé Dubois les conditions dans lesquelles il a pu battre le record:

''On a fait toute la première moitié du parcours avec des vents de sud qui variaient de 10 à 15 nœuds. C'étaient donc des vents relativement faibles mais qui étaient dans la bonne direction parce que Paul Ricard est un bateau qui marche très vite aux vents de travers et il crée, grâce à sa vitesse, un vent relatif, si bien que dans ces bonnes conditions-là, malgré la petite brise, on marchait quand même environ à 12 nœuds moyenne. C'est à dire que ce bateau, aux vents de travers, marche à peu près à la vitesse du vent. Et puis la deuxième partie du parcours, alors on l'a fait avec des vents de nord-nord-ouest. C'étaient là aussi donc des vents d'une bonne direction pour le bateau, mais là avec des vents plus forts on a même eu deux jours avec des vents de noroîts assez forts – on a dû avoir dans les 25 nœuds de vent. Et c'étaient les deux jours où justement on a fait les deux meilleurs parcours.''

Oui, cela dit, Eric Tabarly reste un peu sceptique sur la valeur du record: ''cela prouve simplement'', dit-il, ''que le bateau va vite. Par exemple, nous avons été chronométrés pendant deux heures à plus de 20 nœuds mais rien ne prouve qu'un autre bateau parti en même temps ne serait pas arrivé avant.''

Boulogne: le conflit du poisson

Pas d'armistice dans la guerre du poisson à Boulogne-sur-Mer. Les marins-pêcheurs, en conflit avec leurs armateurs, occupent depuis ce matin la gare des marées; là où l'on vend et où on achète le poisson. Bien avant 4 heures il n'en restera plus que les arêtes. Ce n'est pas par gaîté de cœur que les marins-pêcheurs ont durci leur mouvement mais ils refusent les suppressions d'effectifs prévus par leurs patrons et ils sont d'ailleurs soutenus par le maire socialiste de Boulogne, Guy Lengagne:

"Les marins ne sont pas grévistes. Ils ne sont pas grévistes du tout; c'est que les bateaux ne peuvent pas repartir. Ce n'est pas tout à fait la même chose. Qu'ils bloquent la gare des marées, c'est une autre chose mais les bateaux ne sont pas repartis — ce sont les armateurs qui n'ont pas voulu que les bateaux repartent. Donc ils ne sont pas en grève. Et 6.000 personnes dépendent directement ou indirectement de la pêche. Il faut absolument sauver cette activité essentielle. Il faut que d'ici à la fin de la semaine, dans les jours qui viennent, le gouvernement ait dégagé une aide financière qui permette à la fois de résoudre le conflit immédiat, qui permette également de passer un cap difficile, je dis c'est extrêmement important car les choses vont très vite. Si on ne règle pas le problème dans les jours qui viennent c'est toute la marée, tout le port qui va être bloqué, toutes les activités et on ne sait pas où les choses s'arrêteront et c'est à dire qu'au fond, avant de penser à une nouvelle locomotive, ce qu'il faudrait surtout pas c'est arrêter les locomotives qui marchent et malgré des difficultés, la pêche était quand même une locomotive qui continuait à fonctionner normalement.''

La forêt qui flambe

12 août

Un gros incendie de forêt près de l'étang de Berre dans les Bouches-du-Rhône. Le vent souffle à 80 à l'heure. 50 hectares de garrigue ont déjà brûlé. Les flammes menacent le village de La-Fare-les-Oliviers. Six avions pompiers canadairs sont sur place ainsi que la quasi-totalité des effectifs des casernes: de Salon de Provence, d'Aix en Provence et de Miramas. Incendie également en Haute Corse où le village de Mt. Calais a dû être en partie évacué ainsi qu'un camping de naturistes à Porto-Vecchio. Le feu a pris à dix endroits différents, sans doute l'œuvre d'un ou plusieurs pyromanes.

15 août

Dans le midi les derniers foyers d'incendie ont été maîtrisés mais il fait toujours très sec. Rien qu'en

une semaine pas moins de 2.000 hectares ont été brûlés dans les Bouches-du-Rhône. C'est pourquoi le préfet du département prend le mors aux dents. Il a tout simplement interdit la circulation et le stationnement des touristes dans les endroits jugés sensibles, c'est à dire tous les secteurs boisés. On écoute les arguments du préfet des Bouches-du-Rhône au micro d'Hughes Girard:

"C'est une mesure qui ne devrait même pas être nécessaire. Les gens devraient s'abstenir d'aller dans les bois et les forêts, ne serait-ce que pour une question de sécurité. Mais ils ne s'abstiennent pas et puis il y en a qui commettent des imprudences. Il y en a d'autres qui peut-être commettent des actions criminelles. Alors la meilleure façon d'éviter qu'ils en commettent, c'est d'éviter qu'ils aillent dans les forêts et les bois.''

"Mais alors, ça intéresse vraiment tout le monde? Les automobilistes et même les gens à pied?''

"Absolument tout le monde sauf les propriétaires, évidemment, de ces forêts, leurs ayants-droit. C'est à dire leurs familles ou les fermiers ou locataires.''

"Est-ce que vous avez des moyens de faire respecter cet arrêté?''

"Eh bien, nous avons mis en place dans le département un réseau de patrouilles très important grâce aux apports supplémentaires d'une CRS et d'un escadron de gendarmerie mobile. Je conçois très bien que c'est une atteinte à une certaine liberté mais pour que les gens puissent bénéficier des forêts dans les mois et les années à venir, je crois qu'ils peuvent s'abstenir de les pratiquer pendant quelques jours.''

15 août (19 heures)

Les pompiers mobilisés dans le midi sur les feux de forêts peuvent souffler un peu. Le vent est tombé, le dernier gros incendie, celui du Luberon, est éteint mais il a fait un mort la nuit dernière: un homme de 70 ans qui était retourné dans sa maison en flammes pour chercher son chat. En 24 heures on a compté plus d'une centaine de feux de forêt ou de garrigue en Corse et sur le continent. C'est trop pour être honnête. Ecoutez ce qu'en pense Jean-Claude Gaudin, rapporteur de la commission parlementaire sur les incendies de forêt qui était l'invité de France-Inter à 13 heures:

"Avant-hier je me trouvais dans un avion de l'aéroclub d'Ajaccio entre Ajaccio et Calvi. J'ai vu au moins 30 feux se déclarer en même temps. Il y a là, vraisemblablement, une origine criminelle. Une origine criminelle qu'il faudra rechercher et bien évidemment ça n'était pas le rôle de la commission d'enquête de l'assemblée nationale. Dans la région corse en particulier, il y a toujours un certain nombre de bergers qui veulent pratiquer ce que l'on appelle l'écobuage de manière à pouvoir obtenir des prairies beaucoup plus fertiles au printemps de l'année suivante. Bon. Cela peut, peut-être, être encore fait et pourtant nous avons donné suffisamment de consignes; des instructions très précises ont été communiquées pour éviter cela. J'ai observé, depuis, en avion, des feux éclater en même temps et dans des zones qui ne sont absolument pas peuplées mais qui sont plutôt désertiques dans cette partie de la Corse. A l'évidence, on vient y mettre le feu.''

Oui la chasse aux pyromanes est donc lancée. Le ministre de l'intérieur, Christian Bonnet, demande aux populations de dénoncer les incendiaires aux gendarmes. Les propos tenus par le directeur de la sécurité civile, Christian Girodeau, au micro d'Antoine Sanchez, vont dans le même sens:

''Je crois qu'il ne faut pas prendre les Français pour des imbéciles. Tout le monde sait très bien qu'en période chaude les risques d'incendie sont considérables. Qu'il suffit parfois de très peu de choses pour qu'un incendie parte. Il suffit d'un tesson de bouteille, quelquefois d'une paire de lunettes, d'un objet métallique pour concentrer les rayons du soleil et provoquer un début d'incendie. Donc je crois que la consigne ou des conseils qu'on peut donner aux Français en cette période particulièrement chaude sont d'une part des conseils de très grande prudence pour eux-mêmes et également des conseils de vigilance. C'est à dire d'observer. C'est un devoir de chacun de gagner quelques minutes. Lorsqu'on a occasion de voir des comportements suspects, de les signaler parce que nous savons malheureusement qu'il y a un certain nombre de départs d'incendie qui ne sont pas dûs uniquement à des causes naturelles.''

Acknowledgements

I would like to express my thanks to

Alain Mathiot
Simone Ferrah

for their help in the making of this book.

We are grateful to the following for permission to reproduce photographs and cartoons:

Agence Christiane Charillon, page 28; Agence France-Presse, pages 25, 45 and 49; Agence Presse Edition Information, pages 1 and 39; Associated Press, page 22; *Le Figaro*, page 19; Gamma, pages 35 (photo Etienne Montes) and 41; Rapho, page 7 (photo Krzysztof Pruszkowski).

The newspaper articles are reproduced by permission of *Le Figaro*.

We are indebted to France Inter for permission to record material from their radio broadcasts.